佛语禅心

佛经故事集

张培锋 主编

天津出版传媒集团

天津人民出版社

图书在版编目(CIP)数据

佛经故事集 / 张培锋主编. –– 天津 : 天津人民出
版社, 2017.5
(佛语禅心)
ISBN 978-7-201-11675-4

Ⅰ.①佛… Ⅱ.①张… Ⅲ.①佛经–通俗读物 Ⅳ.
①B94-49

中国版本图书馆 CIP 数据核字(2017)第 091228 号

佛语禅心·佛经故事集

FOYUCHANXIN FOJINGGUSHIJI

张培锋 主编

出　　版	天津人民出版社	
出 版 人	黄　沛	
地　　址	天津市和平区西康路 35 号康岳大厦	
邮政编码	300051	
邮购电话	(022)23332469	
网　　址	http://www.tjrmcbs.com	
电子信箱	tjrmcbs@126.com	
策划编辑	沈海涛	
	韩贵骐	
责任编辑	伍绍东	
装帧设计	汤　磊	
印　　刷	河北鹏润印刷有限公司	
经　　销	新华书店	
开　　本	880×1230 毫米　1/32	
印　　张	9.5	
字　　数	150 千字	
版次印次	2017 年 5 月第 1 版　2017 年 5 月第 1 次印刷	
定　　价	38.00 元	

出版说明

　　佛教在中国两千余年的发展过程中，早已经融入中华文明的发展进程,成为中国传统文化的重要组成部分。在漫长的发展中，涌现出大量的经典以及阐述佛理的文献和为数众多的诗文作品,这些文献一方面是重要的宗教史料,同时其中的很多篇章也是精美的文学作品，它们为中国古代文学的发展注入了新的精神和活力,丰富了古代文学的思想内涵、表现手法,在相当长的时期内,对于整个中国思想文化、社会习俗等,产生了强烈而深远的影响,不了解这些,也就无法真正了解中国古代的文化和文学。很多作品在今天读起来,也仍然具有生命力,富有情趣,可以丰富人们的精神生活,加深对博大精深的中国传统优秀文化的理解。为此,我们面向广大具有中等文化程度以上的读者,编撰了这套试图集中而全面地反映中国古代佛教文学发展面貌的作品集。作品收录的范围基本上涵盖了整个古代时期,个别文集下限到民国前期。

　　这部中国佛教文学作品集总名为"佛语禅心",由天津大悲禅院智如方丈担任总策划,南开大学文学院张培锋教授担任主编,参与作品集编选工作的主要是南开大学文学院中国古代文学专业的博士生、硕士生。"佛语禅心"系列共计六册，具体编选注释者分别为：

1.《佛典撷英集》，张培锋选注

2.《佛经故事集》，王芳、王虹选注

3.《佛教美文集》，张培锋选注

4.《佛禅歌咏集》，孙可选注

5.《禅林妙言集》，吕继北、罗丹选注

6.《高僧山居诗》，张培锋整理

天津大悲禅院积极支持社会慈善和文化事业，为这部佛教文学作品选的编选和出版也提供了良好的条件。除智如方丈担任全书总策划并亲自写了"总序"之外，大悲禅院还为本书的出版提供了一定的资金支持。书稿在编辑过程中，经过国家权威部门的审定，并几经刊校，我们相信，它定将成为一部面向广大读者的优质的佛教文学读本。

编　者

2016 年 10 月

总　序

　　佛法浩瀚精深,微妙广大。在佛教近三千年的发展过程中特别是传入中国以后的两千余年中,涌现出数量巨大的经典文本和演绎佛法宗旨的文学作品,皆演说佛教精深广博的思想,抒发超尘越世之情怀,这些作品共同构成了汉传佛教的宝藏,而佛教文学则是这座宝藏中的一颗璀璨明珠。

　　佛教文学的概念可以分为狭义和广义两种。从狭义上说,只有佛教经典之中的文学创作才能叫做佛教文学作品,收于《大藏经》中的诸多佛陀本生、譬喻,乃至诸多大乘经典都堪称精美的文学作品;而从广义上说,既包括那些直接宣扬佛教教义的文学作品,也包括那些受到佛教某种影响,或者利用佛教题材以至在某些方面和佛教有关联的作品,都可以视为佛教文学创作。佛教传入中国以来,不仅历代高僧们翻译了大量富有文学价值的佛经,其他诸如古代高僧名士之间的诗文酬唱、论辩演说乃至一句一偈甚或禅门之一棒一喝,皆包含深厚的文学意蕴,是中国古代文学遗产中价值巨大的无数瑰宝中不可忽视的一部分。中土的佛门龙象、历代大德以及广大的信徒,继承并发扬了佛教本有的文学传统,在中国文化的背景

1

下，创造出数量众多、内容丰富、形式多样的佛教文学作品，其创作和传播之所以经久不衰，主要原因在于教团内外的广大信众对三世诸佛、诸大菩萨和佛陀教法有着强烈、热诚的信仰之心，文学创作则是表达这种信仰的极其方便、有效的手段。用这样的心灵创作出来的文学作品，必然是杰出的作品，因为它是从吾人真心自然流现出来的，所谓"心光朗照"，"法喜充满"。一个人在这种状态下写出的作品，较之那些矫揉造作的作品要高明很多。历史上很多高僧似乎并没有在文学方面投入太多精力，但是他们写出的作品却相当高明，甚至可以说难以企及，其道理即在于此。

比如佛典翻译文学中艺术水平相当高的"本生""譬喻"故事经典，不仅生动、风趣，而且具有普遍的训喻意义，它们赞美、宣扬了佛陀在无量的时空中自利利他、大慈大悲的伟大精神和勇于牺牲、济度有情的动人业绩，读来令人感动不已。大乘佛教经典的翻译更不乏《妙法莲华经》《维摩诘经》《首楞严经》等语言典雅、义理丰厚的精彩译笔，这些佛典本身已成为中国古代语言艺术的经典和宝库。唐宋以来，禅宗丛林以及好佛士大夫之中更有许多文学修养非常高的人。他们本来就能诗善艺，运用佛门偈颂等形式以及中国传统诗文手法，演说佛法，表达志向，即使从一般诗文艺术角度看，他们的文字也达到了相当高的水平，堪称清新隽永，字字珠玑，列于历史上优秀的文学作品之中而毫无逊色。佛门中的论辩、说理文字更是文字晓畅，析理透彻，议论滔滔，颇有气势，显示出高超的论辩技巧；禅门语录则随机说法，头头是道，也显示出禅门大德高超的语言技能。明清以来的清言小品乃至名山古刹之楹联对句,皆渗透着"超以象外"的禅意,参悟人生,得意忘言,灵犀一点,心照不宣。总之,佛教文学在整个中国古代文学发展和佛教自身发展中占有双重的重要地位,是中华传统文化的宝贵遗产之一,值得我们高度重视和珍惜。

天津大悲禅院近年来在扩建寺院、营造、建设良好的寺院环境的同时,也高度重视精神文化的建设,力求为弘扬祖国传统文化、为当代中国社会的健康发展和人们精神境界的提升做一些力所能及的奉献。有鉴于佛教文学的重要作用,我们诚邀长期致力于佛教文学研究、成果卓著的南开大学文学院博士生导师张培锋教授担纲,主持编辑一套中国佛教文学作品丛书,定名为"佛语禅心",参与编写者为南开大学主攻佛教文学专业的博士生、硕士生。按照全书的设计体例,本套丛书共包含6册,分别为:

1.《佛典撷英集》

从佛教藏经中选择出最精彩、最精华的佛经全文或段落,体现佛教经典文辞之精、义理之美。一册在手,了解最基本的佛法佛理。

2.《佛经故事集》

精选譬喻类、本生类、传记类等佛教典籍,揭示其中体现的佛理,阐扬大乘佛教之菩萨精神,同时体现翻译佛典对于中国古代叙事文学的深刻影响。

3.《佛教美文集》

精选历代僧俗阐发佛教之散文作品,包括论、序、记、赋、传、疏等各类文体,体现中国古人对佛教之深刻理解与发挥,展现佛教文道合一之精神。

4.《佛禅歌咏集》

精选历代僧俗阐发佛理之韵文作品,包括诗词、偈颂、歌赞等各类文体,以见佛教思想与中国古代诗歌的完美融合,展现佛教诗禅一体之精神。

5.《禅林妙言集》

精选禅门语录、灯录及格言、楹联等体裁作品,阐发其中的佛理禅意,既有明心见性之道,亦有为人处世之法,展现佛教真俗不二之宗旨。

6.《高僧山居诗》

以民国时期忏庵居士所编《高僧山居诗》为蓝本,对历代高僧山居诗详加注释,揭示其中深刻佛理,突出高僧大德绝尘离俗同时又融修行于日常生活之精神。

以上六册作品,基本涵盖了中国佛教文学的主要体裁和经典作品。编者对所选文本皆做了精细校勘和注释,力求简明扼要、准确无误而又深入浅出。通过文本的注释和解读,一方面揭示中国佛教文学的巨大成就,另一方面起到宣传和普及佛法的作用。本套丛书的这种设计、编撰思想应该说是很有新意的,期待它的出版能够为广大读者提供一份精美的精神食粮,也为促进和推进中国佛教文学的研究提供一种有益的帮助借鉴。

我们一向认为,佛教信仰是一种理智的信仰,绝非盲从迷信。要做到智信而非迷信,将佛教文学融入到佛陀教育之中是其中重要的一环。学佛必须明理,明理就需要逐渐提高学佛者的文化层次,让人们浸润其中,陶冶性情,潜移默化,选读佛教文学中这些精华的作品则是发挥这种作用的一种良好而有效的途径。张培锋教授和各位编写者为这部丛书的完成付出了巨大的精力和不懈的努力,在此深表谢意!是为序。

湛山门下　智如

2016 年 10 月 8 日农历九月初八

目录

《杂譬喻经》[1]

[东汉]支娄迦谶[2] 译

1.二人听经喻

昔罽宾国[3]有一菩萨,始生堕地,地有大动,父母皆惊。时有真人,往头面礼,华盖供散[4]。后长出家,明哲辩慧[5],然多荡泆[6],乃无法度。所说闻者,辄令得道。

时有二人,共为比丘,精舍守戒,清白积年,意不开解[7]。天神语之:"彼国有比丘,多所化度。"二人即往,故远归请。

时此比丘,彼国有比丘与淫女通。二人求见,一人先入,礼敬却坐。淫女故卧,端正极世。专心听经,无他异念,便得道迹。稽首还出,复使一前,礼讯坐听。见卧淫女,心念此人秽辱不良,唐[8]苦远来,便弃出外。

比丘曰:"何愁乃尔?"知有邪见,曰:"乃误我曹。涉旷辛苦,师此污浊,有是荡行。"曰:"卿为大非。学士法但当正心,听受慧解。焉讥是非,自生恶念,令无所得?"更自端心,共入听经,复得道迹,一得应真。师为设宾[9],便还本国。

师后典寺,大用僧物通淫,戏乐过度,众僧议逐。有真人曰:"且莫摈弃。虽用僧物,能多化度。"便止不逐。

亲亲[10]诣曰:"卿前弟子,可往从乞,备众人物。"即到彼国,大得众宝,还倍偿僧。

【注释】

[1]《杂譬喻经》：现存汉译佛典中，有四部以"杂譬喻经"命名的经典，其中一部名《旧杂譬喻经》，另有三部名称相同但内容不同的《杂譬喻经》。这四部经中，一种《杂譬喻经》为道略集、鸠摩罗什译，道略生平不详，鸠摩罗什为祖籍天竺、生于西域龟兹的翻译家，他于后秦宏始三年（401年）入长安，翻译了很多佛经。而四部经中的另外三部，称为《旧杂譬喻经》，署名为"吴天竺三藏康僧会译"，另一部《杂譬喻经》署有"后汉月氏沙门支楼迦谶译"，但难以确定，今姑依旧说署名。四部《杂譬喻经》都不见梵文或巴利文原典，有些故事又和其他佛经中的内容相重复，学术界一般认为，这几部佛经中有一部分可能是汉魏时期中土人士"抄集众经"而成。佛家教学中有用譬喻启迪后学的传统，"十二分教"中"譬喻"是专门划出的一类。这些譬喻故事生动形象、幽默而富有情趣，不但作为宗教文献富有研究价值，也有文学价值，是宗教文学、民间文学中的宝藏。这几部经典中的故事宣扬的多是汉魏以来盛行的小乘观点，如禅数、神魂不灭、布施、持戒等。

[2]支娄迦谶（147~?）：汉代译经僧。又称支谶。大月氏（中亚古国）人。后汉桓帝末年至洛阳，从事译经。至灵帝光和、中平年间（178~189），共译出《道行般若经》《般舟三昧经》《阿阇世王经》《杂譬喻经》《首楞严经》《无量清净平等觉经》《宝积经》等二十余部，然现存者仅十二部，为第一位在我国翻译及传布大乘佛教般若学理论之僧人。

[3]罽（jì）宾国：古代西域国名，大约在现在的克什米尔地

2

区。古希腊人称喀布尔河为Kophen,罽宾为其音译。

[4]供散:为供养而散放供物。

[5]明哲辩慧:明晓哲理,思辨聪慧。"辩"通"辨"。

[6]荡泆(yì):行为放荡。泆,古同"逸"。

[7]开解:悟得佛法。

[8]唐:白白地。

[9]设宾:设宴。

[10]亲亲:亲近自己的亲人。

2.牛死儿嗥哭[1]喻

昔有贤者,奉法精进,得病奄亡。妻子嗥恋,无料有生。火葬收骨,埋去既讫,废忘经道,香灯不设。家财饶富,月旦晦朔[2],烹煞[3]馔肴,上冢集会,相哭哀摧,悲悼断绝。

亡者戒德[4],终乃升天。天眼[5]遥见,愍其笑之,愚痴之至。便作小儿,于边牧牛。牛便卒死,儿便嗥哭。刈草着前,晓喻令食,复打呼起,对泣自搏[6],如此终日。

众人怪笑,共往呵问:"汝谁家子?牛死,当归语家,嗥哭何益?牛死岂知乎?"曰:"我不愚也。牛死尚在,犹可有望。汝父早死,设百种食,共向嗥哭,焦骨何知?"众闻霍解[7],曰:"吾本汝父,蒙佛生天,故来释卿。"因还复天身。"欲得如我,加进道供[8]。"已,忽不现。

妻子内外,便还精进,戒德布施,拯济一切[9],不复忧愁。皆得道迹,同时生天。

[1]嗥哭:嗥通"号",号哭。

[2]月旦晦朔:月旦、朔指农历每月初一,晦指农历每月最后一天。

[3]煞:同"杀"。

[4]戒德:严守戒律之功德。

[5]天眼:天眼通。

[6]自搏:自己打自己。

[7]霍解:豁然理解。霍,突然、迅速之意。

[8]道供:供奉佛、法、僧。

[9]拯济一切:救济众生。

3.老公丑恶喻

昔有迦罗越[1],常愿见文殊师利。迦罗越便大布施,并设高座讫。便有一老翁,甚大丑恶,眼中眵[2]出,鼻中洟出,口中唾出。迦罗越见,在高座上便起意:"我今日施高座,高尚沙门当在其上。汝是何等人?"便牵着地。

布施讫,迦罗越便然灯烧香,着佛寺中言:"持是功德,现世见文殊师利。"便自还归家。疲极,卧,梦有人语言:"汝欲见文殊师利,见之不识。近前高座上老翁正是文殊师利。汝便牵着地,如是前后七反。见之不识,当那得见文殊师利?"

若人求菩萨道,一切当等心于人。求菩萨道者,文殊师利便往试之。当觉是意。

【注释】

[1]迦罗越:梵语 kulapati 音译,即居士。

[2]眵(chī):眼睛中的分泌物,俗称"眼屎"。

《杂譬喻经》

[东汉]失译人名

1.毒蛇喻

昔道人于山中学道。山中多有蝮蛇,道人畏之,便依一树下,高布床褥,坐禅念定,而但苦睡,不能自制。天人则于空中笑觉之,遂睡不解。

天人因作方便,欲恐令不睡。极夜,天人言:"咄!咄!道人,毒蛇来矣!"道人大怖,便然[1]灯火,遍求之不见。天人数数不止,道人乃更恚曰:"天人何以犯两舌[2]?都不见物,云何为言,言毒蛇?"天人语道人:"何不自观内毒蛇?身中有四蛇[3]不除,如何更从外求之乎?"

道人闻天人,即自思惟,观身历藏[4],乃知四大[5]为五阴[6]、六衰[7]所沉没,无数劫来,至今未脱,即解四谛、苦、空、非身。天未晓,漏尽[8]意解,六通[9]具足,得罗汉。(《杂譬喻经》卷上)

【注释】

[1]然:通"燃"。

[2]两舌:一般指于两者间搬弄是非、挑拨离间,是"十恶业"之一。在这里指诳语、谎言,相当于"妄语"。

[3]四蛇:比喻地、水、火、风"四大"。佛教认为人体系由

地、水、火、风四大和合而成，若四大不调，则致诸病，故比喻为"四蛇"。

[4]观身历藏：藏通"脏"，是人身体内部器官的总称，"观身历藏"指进入禅定后遍观自己身体的五脏六腑。

[5]四大：佛教的物质理论认为世界有地、水、火、风四种元素构成，合称"四大种"，简称"四大"。

[6]五阴：又称"五蕴"。即色、受、想、行、识，是类聚一切有为法的五种类别。

[7]六衰：色、声、香、味、触、法等六尘能衰耗人们的真性，所以叫做六衰。

[8]漏尽：漏是烦恼之意，漏尽指以圣智断尽烦恼。

[9]六通：即六神通，是佛、菩萨依定慧之力所示现的六种无碍自在之妙用，包括神足通、天耳通、他心通、宿命通、天眼通、漏尽通。

2.小沙弥斗外道喻

昔佛般泥洹[1]去百年后，有阿育王[2]爱乐佛法。国中有二万比丘，王恒供养之。诸九十六种外道[3]生嫉妒意，谋欲败佛法。自共聚会，思惟方便。中有一人善于幻化，便语众人："吾欲作幻，变恶鬼形，索沙门斗之，必散亡。当知其不如，必来归吾等道矣。"异道所奉神名摩夷首罗[4]，一头四面，八目八臂，诸鬼之最是可畏者。梵志即作是身，将诸丑鬼二百余头，洋洋行于国中，徐徐稍前，至王官门。一国男女，莫不怖惧。

王出迎之，见大恶鬼，稽首问曰："不审大神，何所救欲？"

鬼语王言："吾欲啖人。"王言："不可尔也。"鬼曰："若王惜人民者，国中有无益王者，付我啖之。"王言："无有也。"鬼言："诸沙门等亦不田作，亦不军征，不臣属王，此则无益者，付吾啖之。"王心不乐。事不得已，便遣使诣祇桓[5]，道其消息。

二万比丘中有最下沙弥，年十三岁，名端正，白诸比丘："我当行应焉。"即便听许之。沙弥出外，语维那[6]曰："其有梵志堕祇桓中，便共剃头，无令得脱。"便往其所，语鬼神曰："知汝来欲啖吾等，吾等是僧中最小，故来先相差次[7]，其余比丘安次当来。"沙弥复言："吾旦来未得食，卿等饭我，令得一饱，乃却啖我。"鬼神与之。时从鬼梵志亦有二万余人。王作大厨，当与此等。沙弥便取二万人食，具皆着口中，神足飞着祇桓，故未饱。复取二万梵志吞之，亦以神足送着祇桓中。时作幻梵志，走大怖惧，还复为人，稽首谢过，愿作弟子。诸比丘尽剃诸梵志头，为说经法，皆得罗汉。一国人民无不欢喜，得福得度。

王思惟言："一小沙弥，感动如是，况摩诃衍海[8]，何所不有哉！"便发无上正真道意。

从是以来，佛法兴盛，于今不灭。（《杂譬喻经》卷上）

【注释】

[1]般泥洹：涅槃。当烦恼火烧尽后，即至于智慧完成而臻于觉悟之境。

[2]阿育王：梵名 Asoka，意译"无忧王"。中印度摩揭陀国孔雀王朝第三世王，西元前三世纪左右出生，是统一印度、发扬佛教的统治者。

[3]九十六种外道：九十六种佛在世前后出现于印度而异

8

于佛教之流派。也称六师外道。六师指的是富兰那·迦叶(道德否定论者)、末伽梨·拘舍梨(决定论者)、删阇夜·毗罗胝子(怀疑论者)、阿耆多·翅舍钦婆罗(唯物论者)、伏陀·迦旃延(提倡七要素说的思想家)、尼干陀·若提子(耆那教始祖、相对主义者)六师。六师各有十五名弟子,总计为九十六人。六师各有十六种所学法,一法自学,其余十五种各教十五弟子,师徒合论,共九十六种,所以称九十六种外道。

[4]摩夷首罗:梵语 Mahesvara,通常译为"摩醯首罗",意译"大自在"。原本是婆罗门教主神湿婆,后被引入佛教作为护法神,称大自在天王。在色界之顶,为三千界之主。

[5]祇(qí)桓(huán):即祇树给孤独园。

[6]维那:"维那"是梵语音译、意译结合的词,"维"是纲维、统理之义;"那"为梵语 Karmadana(羯磨陀那)的略译,意为授事,即以诸杂事指授于人。维那是为寺中统理僧众杂事的职僧。

[7]差次:分别等级次序。

[8]摩诃衍海:"摩诃衍"是梵语 mahayana(摩诃衍那)的略译,指大乘之教法。摩诃衍海指大乘佛法,"海"用以形容佛法之广阔无边。

3.喳人王喻

昔有国王,喜食人肉。敕厨士曰:"汝等夜行,密采人来以供厨。"以此为常,臣下后咸知之,即共斥逐,捐于界外,更求良贤以为国王。

于是啖人王十三年后，身生两翅，行啖人，无复[1]远近。于山中向山树神请求祈福："当取国王五百人，祠山树神，使我得复还国为王。"于是便飞行取之，得四百九十九人。之山谷，以石密口。

时国王将诸后宫诣浴池戏。始出宫门，逢一道人，说偈求乞。王即许之："还宫当赐金银。"时王入池，当欲澡洗，啖人王空中飞来，抱王将去，还于山中。国王见啖人王，不恐不怖，颜色如故。

啖人王曰："吾本捕取五百人当持祠天[2]。已有四百九十九人，今复得卿一人，数已满，杀以祠天。汝知是，何以不恐惧乎？"国王对曰："人生有死，物成有败，合会有离，对来分之[3]，不敢愁也。且出宫时，道逢道士，为吾说偈，即许施物。今未得与，以是为恨耳。今王弘慈宽恕，假数日中，布施讫还，不违要誓也。"即听令去而告之曰："与汝七日期，若不还者，吾往取汝亦无难也。"

王即还宫，都中内外，莫不欢喜。即开库藏，布施远近。拜太子为王，慰劳百姓，辞决而去。

啖人王遥见其来，念曰："此得无异人乎？从死得生，而故来还。"即问曰："身命，世人所重爱者也，而卿舍命，所信，世之难有。不审何守志趣，愿说其意。"即曰："吾之慈施，至诚信盟，当得阿惟三佛[4]，度十方。"彼王曰："求佛之义，其事云何？"便为广说五戒、十善、四等、六度。心开坦然，从受五戒，为清信士。放四百九十九人，各各令还国。

诸王追是后王，共至其国。感其信誓，蒙得济命，各不肯还于本国，遂便住止此国。于此国王各为立第一舍，雕文刻镂，光饰严整,法国王饮食服御,与王无异。四方来人问言:"何以有此如王舍遍一国中?"众人答曰:"皆是诸王舍也。"名遂远布。从此以来,号言王舍城[5]。

佛得道已,自说本末:"立信王者我身是也。啖人王者殃崛摩[6]是。还王舍说法,所度无量,皆是宿命作王时因缘人也。"佛说是时,无不欢喜,得福得度,不可訾计。(《杂譬喻经》卷上)

【注释】

[1]无复:不再有。

[2]天:指婆罗门教的梵天。

[3]对来分之:指将面临的事是自然因果,应当承受。

[4]阿惟三佛:梵语 abhisambuddha,一般音译为"阿毗三佛陀",意译为现等觉,成就正觉之人。

[5]王舍城:梵语 Rajagrha,亦称王舍大城,古印度摩诃陀国的首都。王舍城是佛教圣地,释迦牟尼传教中心之一,佛陀去世后,弟子们又在此地举行第一次结集。

[6]殃崛摩:殃崛摩罗尊者,未出家时信奉外道,欲登王位,杀害九百九十九人,切取各人手指戴在头上作为花冠,又欲杀母取指凑足一千。佛陀为其讲说正法,即开悟忏悔,皈依佛门,后证得阿罗汉果位。

4.佛说本末喻

昔佛诣裸国[1],受须竭[2]请。其国近海,龙兴云雨。佛恐漂没人民,受饮食已,引众诣阿耨达池[3]。佛会毕,众坐已定,告舍利弗不在会中。天帝念曰："佛左右常得神足、智慧，益佛光辉。"佛知其所念，告目揵连："汝往呼舍利弗来。"目连作礼而往。

舍利弗补护法衣。目连曰："佛在阿耨达池天大会，佛使我来相呼，愿以时去。"舍利弗言："须我衣竟。"目连答曰："不时去者，吾当神足取卿及山石室置右掌中持诣佛所。"舍利弗便解腰带着地，语目连曰："汝能令带离于地者，我身乃可举。"目连即举之，地能为振动，带不可举。目连以神足还佛所，舍利弗先坐佛边。目连乃知神足之力不如智慧之力也。

时坐中有一比丘，耳中有须曼花[4]，众坐皆疑：比丘之法，离于花饰，而此比丘着花何谓？天帝即白佛言："不审比丘何以着花？"佛告比丘："遣耳中花。"比丘受教，即手挽去其花，续复如故。如是取去，其处故有。佛语比丘："以神足去之。"即以三昧力，作数千万手，虚空中取耳中花，花故不尽。众坐乃知，是道德因缘，非暂着花也。

天帝白佛："愿说本末，使众会疑解。"佛告天帝："昔惟卫佛时，从来九十一劫。时佛大会说法，有一醉客在会中听闻经欢喜，耳上着花，取散佛上，作礼而去。命终之后，九十一劫天上、人中受福，不复更三恶道。欲知彼时人者，今此比丘是也。散一花福，至今得道，故未尽也。"天帝白佛言："往日醉客不受戒，亦不行六波罗蜜；一散花福，乃九十一劫于今不尽。何况多作者！"佛告天帝："当知萨芸若[5]饶益一切如是。"

一切众会闻说如是，大欢喜，普发无上正真道意。（《杂譬喻经》卷上）

【注释】

[1]裸国：传说中的古国名，其民皆不穿衣，故称裸国。

[2]须竭：梵语 sudra，一般音译为"首陀罗"。是古印度四种姓中级别最低的奴隶阶级。

[3]阿耨(nòu)达池：梵名 Anavatapta。相传为阎浮提四大河之发源地。意译清凉池、无热恼池。此池位于赡部洲中心，大雪山之北，香醉山以南，周围凡八百里，以金、银、琉璃、颇梨等四宝装饰岸边，其池金沙弥漫，清波皎镜，有龙王居之，池中能出清冷之水。有学者认为阿耨达池是位于喜马拉雅山的恒河之水源，还有人认为是西藏的玛那沙罗瓦尔(Mana-sarowar)湖。

[4]须曼花：又名须摩那、苏末那、须曼那，意译为好喜、悦意、善称意、好意、善摄意、称意。古印度有以此花结花环装饰头身的习俗。

[5]萨芸若：梵语 Sarvajña，通常音译为"萨婆若"，意译"一切智"，即诸佛究竟圆满果位的大智慧。

5.诸沙弥共戏喻

昔佛始得道，教化天下，莫不承动，唯舍卫国王不时信解。佛之精舍与王园观[1]隔壁相近，皆临江水。精舍中有沙弥有三百余人，每给三尊使令。时维那使诸沙弥，各持瓶[2]于江上取水。诸沙弥至江岸，便脱袈裟，作屋戏[3]。

时王波斯匿[4]与夫人在楼观上坐，遥见沙弥等共戏如是，即谓夫人："我之不信瞿昙，良以为是。瞿昙之等自称清净，无有阴盖[5]。彼今戏乐，与我无异，那得言真?"夫人答王："譬如海中龙蛇,摩诃衍法亦复如是。有得道者,有未得道者,不可一论也。"夫人语未竟,诸沙弥等着衣服,各各取水正往向精舍所在,以神足挑三百瓶,着虚空中。各各飞逐,皆入精舍。夫人便指大王所言:"王意未尽者,今现神足何如也?"

王见大欢喜,即下观,与群臣百官共诣佛所。稽首作礼,归命悔过。佛为说法,王及夫人一切众会,皆发无上正真道意。(《杂譬喻经》卷上)

【注释】

[1]园观:花园。

[2]瓶:水瓶,或称澡罐,比丘随身携带的十八物之一,是盛水的器具。

[3]屋戏:一种游戏,具体所指不详。

[4]波斯匿:古印度舍卫国国王,与佛陀同日生,佛号日光,或称月光。

[5]阴盖:烦恼,妨碍觉悟的一切精神作用。

6.佛度长者喻

昔舍卫国梵志长者出城游戏,展转到祇桓边。佛知其人有功德可度,佛即出,坐一树下,放大光明,照祇桓界。树木土石,皆作金色。

梵志见光,问从者曰:"此为何光乎?"从者答曰:"不知。"长者曰:"非是日光耶?"从人言:"日者光热,此光寒凉调和,非日光矣。"长者复问曰:"得无火光乎?"从人曰:"非火光。火者动摇不定,此光泽然,不像火光也。"从人思惟:知之,语长者:"此是沙门瞿昙道德之光。"长者即曰:"勿说此,吾不喜瞿昙。"速回车还。

佛便作变化,三面皆自然有大涧,所向不得过,唯于佛前有道径。从人白言:"瞿昙边有道过矣。"事不得已,如前。遥见如来,即以扇覆面。佛复以威神,使内外彻。举目故与佛相见,悟觉下车,稽首作礼。佛与说法,便发无上正真道意。寻得不退转。

背佛去者,尚得道慧,何况信向者哉!(《杂譬喻经》卷上)

7.子有异见喻

昔罗阅祇国有婆罗门子,独与母居。年少长大,自问其母:"我父何所奉事?欲习其踪。"母语子言:"汝父在时,一日三反入水,自洗浴。"子言:"父作是何所希望乎?"母言:"恒水[1]遣[2]垢,可得神通矣。"子曰:"不然。"母谓子:"汝宁有异见乎?"子言:"若其然者,水北居民日驱牛南渡放,日再洗浴,何不得道?且水中有鱼鳖之属在水活,何以复不得道耶?"母言:"汝意云何?"子言:"唯有如来八解之池、三昧之水浴此,乃无为耳!"因报母言:"当诣佛所,求沐神化。"

于是母子至佛所,佛为说法。子作沙门,得罗汉道。还为母说法,复得须陀洹道。(《杂譬喻经》卷上)

【注释】

[1]恒水:恒河。

[2]遣:排除。

8.安息比丘更变喻

昔罽宾国中有一比丘,广训门徒数百余人。中有得四禅[1]者,得五通[2]者,得须陀洹者,得阿罗汉者。

时有安息[3]人到罽宾国,见比丘教化如是,有信乐[4]心,为作弟子。未久之间,成五通行,便现神足于众人前,师告之曰:"汝虽得五通,意结未解,莫现神足以自贡高也。"便心恚师,谓师妒奇,自念曰:"当还生地,现道德耳。"即飞到本国,诣安息王殿前,现神足飞来。

王为作礼而问:"道人是何国人?"比丘言:"我王国人,诣罽宾国学道。今所以还,欲福土地,报所生恩。"王大欢喜,即长跪白:"愿道人自从今日常住我宫中,受我供养。"比丘即可之。王手自供养,或使夫人及婇女来。比丘便有欲,意向青衣[5]。诸臣下知之,以白于王。王逆呵之。王所以不信者,本见其飞来故也。未久之间,青衣腹大。诸臣复启王,王以夫人为验,乃知其实。即夺法衣,遣使令去出宫。以是道人故,不加楚毒[6]。

比丘出外行作劫人贼,无当前者。王不知是前比丘也,谓募雄士,使人生捕将来,定是前比丘。王问曰:"汝前犯欲,谓为误耳。云何复劫人乎?"比丘叩头曰:"穷无复余计故也。"王曰:"我本见汝神足飞来故,不忍加于汝毒。复赦汝,勿复犯我界中。"解放令去。

比丘念曰:"如行客作[7],求生活也。"即自炫。有屠家顾[8]使,捶牛[9]刺羊,事事皆为。后使打骨,迸挑中面,坏其眼根,无所复见,不复中使,主人遣令其去。于是持一破杆[10],顺巷行

16

乞,遂成贱人[11]。

比丘更变,其间数年,师以道眼观察,欲知所在。见比丘如此,在安息市乞。时门徒中但学五通,不求断苦[12]者五百余人。师告之曰:"汝等速严,今当共行,省往日安息弟子。"弟子皆喜,曰:"彼道德必大茂盛,师乃自屈往省。"皆承神足,须臾以到,住于其前。师呼其名,即答师声言:"和上来耶?"师言尔,故来相省。师问曰:"何缘乃尔?"弟子具陈本末,辩说所犯意。师语诸弟子:"得五通非坚固道也,不可恃怙矣。"

师说是时,五百弟子皆得六通,成应真道。彼一弟子,惭愧无辞。师徒一切,更还本所。(《杂譬喻经》卷下)

【注释】

[1]四禅:又作四禅定、四静虑,指色界中之初禅、第二禅、第三禅、第四禅,故又称色界定。四禅之体为"心一境性",四禅之用为"能审虑"。得四禅者离欲界之感受,而与色界之观想、感受相应。自初禅至第四禅,心理活动逐次发展,形成不同之精神世界。或谓自修证过程而言,前三禅乃方便之阶梯,仅第四禅为真实之禅。

[2]五通:又称五神通或五神变,即六通中的前五通,不包括"漏尽通"。凡夫也可证得五通,而唯有圣者能证得漏尽通。

[3]安息:古代波斯(今伊朗)地区的一个王朝,又名阿萨息斯王朝或帕提亚帝国,存在于公元前247年至公元224年,建立者是帕尼部落领袖阿尔沙克一世。安息帝国坐落在地中海的罗马帝国与中国汉朝之间的贸易路线丝绸之路之上,与我国有丝织品贸易往来。

[4]信乐：确信和爱乐。

[5]青衣：宫女。

[6]楚毒：酷刑。

[7]客作：受人雇佣。

[8]顾：通"雇"。

[9]捶牛：宰牛。

[10]杅(yú)：盛浆汤等的器皿。

[11]贱人：指古代印度四种姓中地位最低微的首陀罗。

[12]断苦：通过修行断尽烦恼。

9.夫畏妇喻

昔有一国，丰熟饶人。他国欲来取之，即兴兵往。国中已知，便大发兵，十五以上、六十已下尽当征行。

时有一人为织氎[1]公。年向六十。其妇端正，常轻慢夫主。婿每[2]敬难[3]，丈夫事之[4]。婿语妇言："今应行，被敕[5]自具[6]兵仗及资粮器物，愿时[7]发遣。"妇与夫一五升器，以用盛粮；织氎杼木[8]一枚，长丈一尺。妇言："汝持是行斗，无有余物也。设令破是器，失是杼木，不复共汝作居家。"

夫便辞去。不念当为军所伤害，但畏二物差错，失于妇矣。道逢彼兵，共斗，军不如，即退。氎公恐二物差错则失妇意，众人皆走。便举执杼着头上，向贼而独住。彼军见之，谓呼勇猛，不敢复进，却退。于是国军更得整阵，并力进战，即大得胜。彼军不如，死散略尽。

王大欢喜，当赏有功。众人白王："织氎者应与上功。"王因

18

呼见[9]，问其意故："汝何缘独得却大军乎？"对曰："实非武士。家妇见给从军二物，设当失此二物者，妇则委去[10]，不成家居。是以分[11]死，欲成二物。因之却军，实非勇健所致也。"王谓诸臣："此人本虽畏妇，要济国难，当与上功。"即拜为臣，赐其宝货、宅舍、媒女，其次于王。子孙承福，世世相系。

此世间示现因缘所得，佛借以为喻。妇与夫五升器、丈一尺杼木者，譬佛授弟子五戒、十善也；属[12]夫言"坚守二物，不毁失者，可得与吾共居也"，此谓持法死死不犯者，则得与佛俱升道堂矣；既得当敌却军，复见封赏者，譬守戒人现世怨家[13]横对为之消灭，后世受福天堂自然者矣。（《杂譬喻经》卷下）

【注释】

[1]氀(dié)：细毛布或细棉布。

[2]每：常常，总是。

[3]难(nǎn)：通"戁"，恐惧。

[4]丈夫事之：把她当做男主人一般待奉。事，待奉之意。

[5]敕：命令、告知。

[6]自具：自备。

[7]愆时：按时。

[8]杼(zhù)木：织布机上的筘，古代亦指梭，形状像梳子。

[9]呼见：召见。

[10]委去：弃我而去。

[11]分(fèn)：甘愿。

[12]属：通"嘱"。

[13]怨家：冤家，仇人。

10.四居士发愿喻

　　昔天竺国有松寺,中有四道人,皆是六通。国中有四居士,各请一道人,长供养之。四道人各行教化,一人至天帝释所,一人至海龙王所,一人至金翅鸟[1]所,一人至人王[2]所。于是四道人所受供养钵中之余,还分檀越食之,百味具足,所未曾见。各问道人:"所从得此?"道人即为各说本末。于是四居士各发一愿。一人言愿生天帝释宫,一人欲生海中作龙,一人欲生金翅鸟中,一人欲生人王中作子。寿尽,皆得往生,为四神王。

　　同时有念,欲八关斋[3]。遍观静处,唯摩竭王[4]后园寂寞。皆到园中,各坐树下,慈心奉斋,行六思念意[5]一日一夜。明旦事讫,乃相就语。摩竭王曰:"卿等何人也?"一人言:"我是天王。"一人言:"我是龙王。"一人言:"我是金翅鸟王。"一人言:"我是人王。"四人相本末已,皆大欢喜。

　　天王便言:"吾等俱斋,谁得福多者?"人王言曰:"吾之欲近在园外,音乐之响乃彻闻此,能于中专心,吾福第一。"天王曰:"吾之天上七宝宫殿,玉女众妓,衣食自然,不复想念,远来全斋[6],福应第一。"金翅王言:"吾之所好,唯食龙为美,甚于五乐[7]。今共一处,无有恶念,大如毛发,吾福第一。"龙王曰:"吾之等类,是金翅粮供[8]也,常恐见食[9],畏怖藏窜。今在一处分[10]死,全斋,吾福第一。"

　　摩竭王曰:"吾有智臣,名'披陀类',吾当请之,使令决义。"即召已到,具语其意。披陀类便取青、黄、白、黑四种之缯[11]悬着空中,问于四王:"四色在空,各自异不?"四王曰:

"异色灼然矣。"臣曰:"缯影在地为异无?"答曰:"不异也。"臣言:"今四种受形各异,譬如缯色,质不同也。今之法斋,志趣一味,譬如地影,无若干也。今四尊王发大道意,精进慈斋,得佛之时,相亦一等,无若干像。"四王欢喜即得道眼。(《杂譬喻经》卷下)

【注释】

[1]金翅鸟:梵语 garuda 意译。古印度神话中的一种神鸟,身有金色羽毛,为主神毗湿奴的坐骑。佛教中以此鸟为"天龙八部"之一。金翅鸟两翼宽三百三十六万里,住于须弥山下层,常以龙为食。

[2]人王:人间之王。意为成就俗世事功者。

[3]八关斋:即"八关斋戒",是佛陀为在家弟子制定的暂时出家所行的戒律,包括:不杀生、不盗、不淫、不妄语、不饮酒、不以华鬘装饰自身及不歌舞观听、不坐卧高广华丽床座、不非时食。八戒中前七支为戒,后一支不非时食为斋。受八关斋戒者要离家一日一夜赴僧团居住。

[4]摩竭王:摩揭陀国国王。

[5]六思念意:又作六随念、六念处、六念法。即念佛、念法、念僧、念戒、念施、念天。

[6]全斋:即八关斋戒。

[7]五乐:指眼、耳、鼻、舌、身五种官能对应色、声、香、味、触等五境所产生的欲乐。

[8]粮供:食物。

[9]见食:被吃。见,被;食,吃。

[10]分(fèn)：料想。

[11]缯(zēng)：古代对丝织品的总称。

11.兄害幼弟喻

昔有富迦罗越[1]，有两子。父得病临困，嘱大儿曰："汝弟幼小，未有所知。今以累汝，善营济之，勿使饥寒。"父子悲诀，于是遂亡。

后时妇语其夫曰："君弟小，长当娆[2]君家，所有之物，皆当分之。曼[3]其未大，何不除遣？"兄始不肯，数语不已，兄便随之。将弟出城，诣深冢间，缚着柏树，不忍手杀，欲使虎狼、恶鬼害之。语弟曰："汝数犯我，使汝在此，宿昔[4]思过，明日当相迎。"便舍之去。须臾日暮，鸱雕[5]、狐狸所在鸣呼。弟大怖懅，无所归告，即仰天叹息曰："三界之中，宁有慈仁受自归[6]乎？今日困厄，怀怖无量！"于是如来睹彼求救，正坐三昧，放大光明，名曰除冥，照冢间，即时大明。次放一光，名曰解缚。光至儿所，缚即缓，身不复痛。次放一光，名曰饱满一切，儿见光明，即不复饥。于是如来寻光诣彼，使手自解缚而告之曰："欲何所趣乎？"儿白言："愿我作佛，脱一切厄，如佛今日。"即发无上正真道意。

佛为说法若干正要，逮得不起法忍[7]，白佛言："我兄虽有恶念，违孝害我，因此得见佛，断生死苦，欲往报恩。"佛言："善哉！"宜[8]知是时，便以神足飞往兄家。兄妇见之，惭惧无颜。即语兄曰："虽用恶妻子之言，缚我着冢间，因缘是事，今日得道，皆兄恩也。"为兄嫂说法，便得须陀洹。(《杂譬喻经》卷下)

【注释】

[1]迦罗越：居士。

[2]娆(rǎo)：烦忧，扰乱。

[3]曼：副词，表否定。

[4]宿昔：指很短的时间。

[5]鸱雕：鸱一般指鸱鹰，是一种身体细瘦，觅食鼠、蛇、蛙、小鸟和昆虫的禽类；雕是一种体形比鹰大的食肉类猛禽。

[6]受自归：接受我的皈依。

[7]不起法忍：也称"无生法忍"。断见惑而生空理，谓"无生法忍"。

[8]宜：语助词。

12.学浅沙门说法喻

昔外国有一松寺，中恒有众僧百余人，共于中止学。有一优婆夷，精进明经，去寺不远，日饭一沙门。众僧自相差次，从头至竟，周而复始。其有往者，优婆夷辄从问经义，自隐学浅者每不喜往。

有一沙门摩诃卢，晚作沙门，一无所知。次应往食，行道迟迟，却不时至。优婆夷逢见之，言："此长宿年老行步庠序[1]。"谓是大智慧，益用欢喜，与作好食。毕，施高座，欲令说法。道人上座，实无所有知，自陈体中，言："人愚无知，实苦。"优婆夷闻是，便思惟之："愚无所知"，则是十二因缘本，是生死不绝，致诸苦恼，是故言甚苦。思惟反复，即得须陀洹道。便起开藏室，欲取氎布[2]施道人。

23

道人便下座舍去,还于精舍。优婆夷出,不知道人处为所在。门中望亦复不见,真谓为得道神足飞去也。优婆夷便持白氎衣,诣精舍求道人。道人恐追呼,入房闭户藏。其师以得六通,见有追者,谓有所犯,即定意观,知优婆夷得须陀洹道。呼摩诃卢,令出受施。师为说本末,摩诃卢欢喜,亦得须陀洹道。(《杂譬喻经》卷下)

【注释】

[1]庠(xiáng)序:安详肃穆。

[2]氎(dié)布:细毛布。

13.老母欲随子死喻

昔有老母,唯有一子,得病命终。载着冢间,停尸哀戚,不能自胜,念曰:"正有一子,当以备老,而舍我死,吾用活为?"遂不复归,便欲并命一处。不饭不食,已四五日。

佛以知见[1],将五百比丘诣冢间。老母遥见佛来,威神之光奕奕,瘠醉醒,前趣佛,作礼却住。佛告母:"何为冢间耶?"白言:"世尊!唯有一子,舍我终亡,爱之情切,欲共死在一处。"佛告老母:"欲令子活不耶?"母喜:"实尔!世尊。"佛言:"索好香火来,吾当咒愿,令子更生。"重告老母:"宜得不死家火。"

于是老母便行索火。见人先问:"汝家前后,颇有死者未?"答曰:"言先祖以来,皆死过去。"所问之家辞皆如是。以经数十家,不敢取火。便还佛所,白言:"世尊!遍行求火,无有不死家,是以空还。"佛告老母:"天地开辟以来,无生不终之者。生者求

24

活,亦复可喜。母何迷索随子死？"意便解寤,识无常理。

佛因为广说法要,老母即得须陀洹道。冢间观者,无数千人,皆发无上正真道意。(《杂譬喻经》卷下)

【注释】

[1]以知见:以智慧见到(老母的情况)。

14.必居一亿里喻

昔王舍城中,人民多丰饶。九品[1]异居,不相杂错。别有一亿里[2],有一亿财者,便入中。时有居士,规欲[3]居中,便行治生[4],苦身节用,广诸方计,数十年中,九十万数[5],未满一亿。得病甚笃[6],自知不济。有一子,年七八岁。嘱语其妻曰:"吾子小;大,付与财物,令广治生,使足满一亿,必居其中,全吾生存之愿矣!"言竟终亡。丧送事毕,将子入示其宝物:"父有遗教,须汝长大,具一十万足满一亿,居亿里中。"子报母言:"何必须大,便可付我早共居之。"母即付之。

于是童子以财物、珍宝供养三尊[7],施与贫乏者。半年之中财物尽了。其母愁恼,怪子所作。童子未几身得重病,遂便丧亡。其母既失物,子又幼丧,忧愁忆之。

中有最富者,八十居而无子姓[8]。于是童子往生其家,为第一妇作子。满十月生,端正聪明,自识宿命。母自抱乳,确[9]不肯食。青衣抱养,亦复如是。儿前母闻生子如是,偶往看见,爱之,即抱呜嗽[10],开口求食。长者大喜,重雇其价,使养护子。长者便与夫人议曰:"吾少子姓,他人抱养,不肯饮食;此妇抱撮[11],

25

儿辄欢喜。吾今欲往迎取,以为小妻,令养视吾子,为可尔不?"夫人听之,便以礼娉迎来,别作屋宅,分财给与,无所乏短。

儿便语母:"为相识不。"母大怖懅而言:"不相识。"儿白母言:"我是母之前子,取母九十万分用布施,今共来作八十亿主,不劳力而食,福为何如耶?"母闻是言,且悲且喜。其儿长大,化[12]一亿里,为摩诃衍道。

故谓正便亿千出之,一邑里能为室舍。安诸施以道,菩萨我所入[13]如是。(《杂譬喻经》卷下)

【注释】

[1]九品:指各种不同的阶级。

[2]里:古代的居住区名称。

[3]规欲:想要。"规"有欲、想要之意。

[4]治生:经营家业。

[5]九十万数:古代曾以十万为亿,后来以万万为亿,此文中"九十万"可能是"九千万"之讹。

[6]笃:病势沉重。

[7]三尊:佛、法、僧三宝。

[8]子姓:指子辈。

[9]确:坚决。

[10]呜噈(cù):亲吻作声。

[11]抱撮(cuō):抱持拨弄。

[12]化:教化。

[13]入:证悟真理,解知事物。

15.众猕猴溺死喻

昔者海边有树木数十里,中有猕猴五百余头。时海水上有聚沫[1],高数十丈,像如雪山,随潮而来,住于岸边。诸猕猴见,自相与语:"吾等上是山头,东西游戏,不亦乐乎!"时一猕猴便上头,径下没水底。众猕猴见,怪久不出,谓沫山中快乐无极,是以不来,皆竞踊跳入沫聚中,一时溺死。

佛借以为喻:海者,谓生死海也;沫山者,五阴身也;猕猴者,人神识[2]也。不知五阴无所有,爱欲痴着[3],从是没生死海,莫有出期。故维摩诘[4]言:"是身如聚沫,澡浴[5]强忍。"(《杂譬喻经》卷下)

【注释】

[1]聚沫:聚起的水泡。

[2]神识:犹言灵魂。有情众生的心识灵妙不可思议,故称神识。

[3]着:心思缠绵于某事而难以舍离的状态,如爱着、执着、贪着等。

[4]维摩诘:菩萨名,梵语名 Vimilakirti,意译"净名"。是佛陀的在家弟子,中印度毗舍离城的一位长者。曾供养无量诸佛,通晓大乘佛教,且非常雄辩,善以巧妙方便教化众生。

[5]澡浴:本意指洗澡,在这里是浮沉其中的意思。

16.瓮中身影喻

　　昔有长者子,新迎妇,甚相爱敬。夫语妇言:"卿入厨中取蒲桃酒来共饮之。"妇往开瓮,自见身影在此瓮中,谓更有女人,大恚,还语夫言:"汝自有妇藏着瓮中,复迎我为?"夫不自得,入厨视之。开瓮见己身影,逆恚其妇,谓藏男子。二人更相恚恨,各自呼实[1]。

　　有一梵志,与此长者子素情亲厚,过与相见。夫妇斗,问其所由。复往视之,亦见身影,恚恨长者:"自有亲厚藏瓮中,而阳[2]共斗乎?"即便舍去。复有一比丘尼,长者所奉,闻其所诤如是,便往视瓮,中有比丘尼,亦恚,舍去。

　　须臾,有道人亦往视之,知为是影耳,喟然叹曰:"世人愚惑,以空为实也。"呼妇共入视之。道人曰:"吾当为汝出瓮中人。"取一大石,打坏瓮,酒尽,了无所有。二人意解[3],知定身影,各怀惭愧。比丘为说诸要法言,夫妇共得阿惟越致。

　　佛以为喻:"见影斗者,譬三界人不识五阴、四大苦、空、身三毒[4]、生死不绝。"佛说是时,无数千人皆得无身之决[5]也。

(《杂譬喻经》卷下)

【注释】

[1]呼实:说(自己所见)为事实。

[2]阳:通"佯",假装。

[3]意解:"意解"作为佛教术语有断尽一切烦恼而心得解脱之意,在本文中是醒悟、依意识而了解之意。

[4]身三毒:指贪欲、嗔恚、愚痴三种烦恼,又称"三火""三垢"。一切烦恼通称为毒,但此三种烦恼是毒害众生出世善心的烦恼中最严重者,所以特称"三毒"。此三毒又是身、口、意等三恶行的根源,所以也叫作"三不善根",是根本烦恼之首。

[5]无身之决:决通"诀",诀窍。"无身"是佛教教义,亦称"无我""非我",分为人无我、法无我。人无我指人是由五蕴和合而成,没有恒常的主体;法无我是指一切法皆属因缘和合而生,处于不断的变迁流转之中,没有恒常的实体。

《六度集经》[1]

[三国吴]康僧会[2] 译

1.鹿王

昔者菩萨,身为鹿王,厥[3]体高大,身毛五色,蹄角奇雅。众鹿伏从,数千为群。国王出猎,群鹿分散,投岩堕坑,荡树贯棘,摧破死伤,所杀不少。鹿王睹之,哽噎曰:"吾为众长,宜当明虑,择地而游,苟为美草而翔[4]于斯,凋残群小,罪在我也!"径自入国,国人睹之,佥[5]曰:"吾王有至仁之德,神鹿来翔。"以为国瑞,莫敢干之。乃到殿前,跪而云曰:"小畜贪生,寄命国界。卒逢猎者,虫类奔迸。或生相失,或死狼籍。天仁爱物,实为可哀。愿自相选,日供太官[6]。乞知其数,不敢欺王。"王甚奇曰:"太官所用,日不过一。不知汝等伤死甚多。若实如云,吾誓不猎。"鹿王退还,悉命群鹿,具以斯意示其祸福。群鹿伏听,自相差次。应先行者每当就死,过辞其王,王为泣涕,诲喻之曰:"睹世皆死,孰有免之?寻路念佛,仁教慈心。向彼人王,慎无怨矣。"

日日若兹。中有应行者而身重胎,曰:"死不敢避,乞须娩娠。"更取其次[7],欲以代之。其次顿首泣涕而曰:"必当就死,尚有一日一夜之生,斯须之命,时至不恨!"鹿王不忍枉其生命,明日遁[8]众,身诣太官。厨人识之,即以上闻。王问其故,辞答如上。王怆然为之流泪曰："岂有畜兽怀天地之仁,杀身济众,履[9]古人弘慈之行哉!吾为人君,日杀众生之命,肥泽己体。吾好凶虐,尚豺狼之行乎?兽为斯仁,有奉天之德矣!"

王遣鹿去,还其本居。敕一国界:若有犯鹿者,与人同罚。自斯之后,王及群寮[10]率化黎民,遵仁不杀,润逮[11]草木。国遂太平。

菩萨世世危命济物,功成德隆,遂为尊雄。佛告诸比丘:"时鹿王者,是吾身也;国王者,舍利弗是。"菩萨慈惠度无极[12]行布施如是。(《六度集经》卷三《布施度无极章》)

【注释】

[1]《六度集经》:又称《六度集》《六度无极经》《度无极经》《杂度无极经》等,共八卷,由三国时期活动于东吴的康居僧人康僧会译为汉文。《六度集经》分为六章,分别是布施度无极章、戒度无极章、忍辱度无极章、精进度无极章、禅度无极章、明度无极章,故有"六度"之名。所收录的内容以本生经及各种本生故事为主,有一些成为流传度很高的寓言故事。

[2]康僧会:本为康居国丞相之子,因看破红尘,出家为僧,来汉地弘扬佛法,在东吴受到孙权的礼遇。康僧会另译有《吴品经》《杂譬喻经》等佛经,他的思想有儒、释、道三家融合的倾向,体现在他对一些佛经的注释中。

[3]厥:其。

[4]翔:游猎,游玩。

[5]佥(qiān):全,都。

[6]太官:中国从秦代开始设置的掌管宫廷膳食、果酒的官

职称"太官",此处代指有类似职能的属官。

　[7]更取其次:按次序让下一只鹿去受死。

　[8]遁:避开,躲。

　[9]履:履行。

　[10]群寮:也作"群僚",指百官。

　[11]逮:及。

　[12]度无极:"波罗蜜"的意译,犹言到彼岸。因菩萨六度行法无穷无极,顾称度无极。

2.鳖鱼、蛇与狐狸

　　昔者菩萨为大理家[1],积财巨亿,常奉三尊,慈向众生。观市睹鳖,心悼之焉,问价贵贱。鳖主知菩萨有普慈之德,尚济众生,财富难数,贵贱无违,答曰:"百万。能取者善,不者吾当烹之。"菩萨答曰:"大善。"即雇[2]如值,持鳖归家,澡护其伤,临水放之。睹其游去,悲喜誓曰:"太山[3]饿鬼、众生之类,世主[4]牢狱,早获免难,身安命全,如尔今也!"稽首十方,叉手[5]愿曰:"众生扰扰,其苦无量。吾当为天为地,为旱作润,为漂[6]作筏,饥食渴浆,寒衣热凉,为病作医,为冥作光。若有浊世颠倒之时,吾当于中作佛度彼众生矣!"十方诸佛皆善其誓,赞曰:"善哉!必获尔志!"

　　鳖后夜来齕[7]其门。怪门有声,使出睹鳖,还如事云。菩萨视之,鳖人语曰:"吾受重润,身体获全。无以答润。虫水居物,知水盈虚。洪水将至,必为巨害矣。愿速严舟,临时相迎。"答曰:"大善!"明晨诣门如事启王。王以菩萨宿有善名,信用其言，迁下处高。时至，鳖来曰："洪水至，可速下载！寻吾所之，可获无患。"船寻其后。有蛇趣船，菩萨曰："取之！"鳖云："大善！"又睹漂狐，曰："取之！"鳖亦云："善！"又睹漂人，搏颊[8]呼天："哀济吾命！"曰："取之！"鳖曰："慎无取也！凡人心伪，鲜有终信，背恩追势，好为凶逆。"菩萨曰："虫类尔济，人类吾贱，岂是仁哉？吾不忍也。"于是取之。鳖曰："悔哉！"

遂之丰土，鳖辞曰："恩毕请退。"答曰："吾获如来无所著至真正觉[9]者，必当相度。"鳖曰："大善。"鳖退，蛇狐各去。

狐以穴为居，获古人伏藏紫磨名金[10]百斤，喜曰："当以报彼恩矣。"驰还曰："小虫受润，获济微命。虫，穴居之物，求穴以自安，获金百斤。斯穴非冢、非家，非劫、非盗，吾精诚之所致。愿以贡贤。"菩萨深惟："不取徒捐[11]，无益于贫民。取以布施，众生获济，不亦善乎？"寻而取之。漂人睹焉，曰："分吾半矣！"菩萨即以十斤惠之。漂人曰："尔掘冢劫金，罪应奈何？不半分之，吾必告有司！"答曰："贫民困乏，吾欲等施。尔欲专之，不亦偏乎？"漂人遂告有司[12]。菩萨见拘，无所告诉，唯归命三尊，悔过自责，慈愿众生早离八难[13]，莫有怨结，如吾今也。

蛇狐会曰："奈斯事何？"蛇曰："吾将济之。"遂衔良药，开关入狱。见菩萨状，颜色有损，怆而心悲，谓菩萨言："以药自随。吾将螫[14]太子，其毒尤甚，莫能济者。贤者以药自闻，传则愈矣。"菩萨默然。

蛇如所云。太子命将殒。王令曰："有能济兹，封之相国，吾与参治。"菩萨上闻，传之即愈。王喜问所由，囚人本末自陈。王怅然自咎曰："吾暗甚哉！"即诛漂人，大赦其国，封为国相。
（《六度集经》卷三《布施度无极章》）

33

[1]大理家：大财主。

[2]雇：买。

[3]太山：地狱。

[4]世主：国君。

[5]叉手：两手交叉，印度的一种致敬法，又称"金刚合掌"。

[6]漂：指落水者。

[7]龁(hé)：咬。

[8]搏頬：击打面颊，此处形容落水者呼救的狼狈情态。

[9]如来无所著至真正觉：即无上正等正觉。

[10]紫磨名金：古代称上等黄金为"紫磨金"。

[11]徒捐：白白地抛弃。

[12]有司：官府。

[13]八难：指不得遇佛、不闻正法之八种障难。

[14]齰(zé)：咬。

3.镜面王经

闻如是：一时佛在舍卫国祇树给孤独园。众比丘以食时持应器[1]入城求食，而日未中。心俱念言："入城甚早，我曹宁可俱到异学梵志讲堂坐须臾乎！"金然[2]曰："可。"即俱之彼，与诸梵志更相劳来，便就座坐。是时梵志自共争经[3]，生结[4]不解，转相谤怨："我知是法[5]，汝知何法？我所知合于道，汝所知不合道。我道法可施行，汝道法难可亲。当前说，说著后；当后说，反前说[6]。多法说非。与重担不能举，为汝说义不能解，汝空知，汝极无所有，汝迫复何？"对以舌戟[7]，转相中害[8]，被一毒报以三。诸比丘闻子曹[9]恶言如是，亦不善子曹言、不证子曹正，各起坐到舍卫求食。食竟藏应器，还到祇树，为佛作礼，悉坐一面，如事说之。念是曹梵志，其学自苦，何时当解？

佛告比丘言："是曹异学非一世痴冥。比丘！过去久远，是阎浮提地[10]有王，名曰镜面，讽佛要经，智如恒沙。臣民多不诵，带锁小书，信萤灼之明[11]，疑日月之远见。目瞽人，以为喻，欲使彼舍行潦，游巨海[12]矣。敕使者，令行国界，取生盲者[13]，皆将诣宫门。臣受命行，悉将国界无眼人到宫所，白言：'已得诸无眼者，今在殿下。'王曰：'将去以象示之。'臣奉王命，引彼瞽人将之象所，牵手示之，中有持象足者、持尾[14]者、持尾本[15]者、持腹者、持胁者、持背者、持耳者、持头者、持牙者、持鼻者。瞽人于象所争之纷纷，各谓己真彼非。使者牵还，将诣王所，王问之曰：'汝曹见象乎？'对言：'我曹俱见。'王曰：'象何类乎？'持足者对言：'明王！象如漆筒。'持尾者言：'如扫帚。'持尾本者言：'如杖。'持腹者言：'如鼓。'持胁者言：'如壁。'持背者言：'如高机[16]。'持耳者言：'如簸箕。'持头者言：'如魁[17]。'持牙者言：'如角。'持鼻者对言：'明王！象如大索。'复于王前共讼言：大王！象真如我言。'镜面王大笑之曰：瞽乎瞽乎！尔犹不见佛经者矣。'便说偈言：'今为无眼曹，空诤自谓谛[18]。睹一云余非[19]，坐[20]一象相怨。'又曰：'夫专小书，不睹佛经汪洋无外、巍巍无盖之真正者，其犹无眼乎！'于是尊卑并诵佛经。"

佛告比丘："镜面王者，即吾身是。无眼人者，即讲堂梵志是。是时子曹无智，坐盲致诤。今诤亦冥，坐诤无益。"佛是时具捡此卷,令弟子解:"为后作明,令我经道久住,说是义足经:自冥言是彼不及,著痴日漏何时明?自无道谓学悉尔,倒乱无行何时解?常自觉行尊行,自闻见行无比,已堕系世五宅,自可绮行胜彼。抱痴住望致善,以邪学蒙得度,所见闻谛受思,虽持戒莫谓可。见世行莫悉随,虽黜念亦彼行,与行等亦敬持,莫生想不及过。是以断后亦尽,亦弃想独行得,莫自知以致黜,虽见闻但行观。悉无愿于两面,胎亦胎合远离,亦两处无所住,悉观法得正止。意受行所见闻,所邪念小不想,慧观法意见意,从是得舍世空。自无有何所待?本行法求义谛,但守戒未为慧,度无极终不还。"(《六度集经》卷八《明度无极章》)

【注释】

[1]应器:此处指僧人化缘所用的钵。

[2]佥然:全都。

[3]争经:争论经书内容。

[4]生结:产生疑问。

[5]法:此处指学说的根本道理。

[6]当前说,说著后;当后说,反前说:应当先说的,你后说;应当后说的,你反而先说。

[7]舌戟:犹言唇枪舌剑。

[8]中害:用语言攻击。

[9]子曹:他们。

[10]阎浮提地:梵语 Jambudvipa 音译,又称南赡部洲。古代印度人认为世界有四大洲,分别是东弗婆提、西瞿耶尼、南阎浮提、北郁单越。"阎浮"是树名,"提"为"提鞞波"之略,义译为

"洲"。因洲上阎浮树最多,故称阎浮提,一般指我们所在的婆婆世界。

[11]萤灼之明:萤火虫的光亮,比喻外道书籍微小的思想价值。

[12]舍行潦,游巨海:放弃路边的水注,畅游于大海中。比喻放弃无智慧的外道,接受佛法。

[13]生盲者:天生的盲人。

[14]尾:尾巴稍。

[15]尾本:尾巴。

[16]高机:高凳子。

[17]魁:舂米用的大臼。

[18]谛:真谛,真相。

[19]睹一云余非:看到一方面,就说其他的说法都是错的。

[20]坐:因。

4.察微王经

昔者菩萨为大国王,名曰察微,志清行净,唯归三尊,禀翫[1]佛经,靖心存义,深睹人原始,自本无生。元气强者为地,软者为水,暖者为火,动者为风,四者和焉,识神生焉。上明能觉,止欲空心还神本无,因誓曰:"觉不寤之畴[2]!"神依四立,大仁为天,小仁为人,众秽杂行为蜎飞[3]、蚑行[4]、蠕动之类,由行受身,厥形万端,识与元气微妙难睹,形无系发,孰能获把?然其释故禀新[5]终始无穷矣。"王以灵元化无常体,轮转五涂[6],绵绵不绝,释群臣意,众暗[7]难寤犹有疑焉,曰:"身死神生,更受异体,臣等众矣，匙[8]识往世。"王曰："论未志端，焉能识历世之事乎？视不睹耗[9]，孰能见魂灵之变化乎？"

王以闲日由私门出，麤[10]衣自行，就[11]补履翁，戏曰："率土[12]之人孰者乐乎？"翁曰："唯王者乐耳。"曰："厥乐云何？"翁曰："百官虔奉，兆民贡献，愿即从心，斯非乐乎？"王曰："审如尔云矣。"即饮之以葡萄酒，厥醉无知，抗著宫中，谓元妃曰："斯蹠翁[13]云：'王者乐矣。'吾今戏之，衣以王服，令听国政，众无骇焉。"妃曰："敬诺。"其醒之日，侍妾佯[14]曰："大王顷醉，众事猥积[15]，宜在平省，将出临御。"百撄[16]催其平事，蒙蒙瞢瞢[17]，东西不照[18]，国史记过，公臣切磋，处座终日，身都痟[19]痛，食不为甘，日有瘦疵。宫女讥曰："大王光华有损何为？"答曰："吾梦为补跖翁，劳躬求食，甚为难云，故为痟耳。"众靡不窃笑之也。从寝不寐，展转反侧，曰："吾是补跖翁耶？真天子乎？若是天子，肌肤何麤？本补跖翁，缘[20]处王宫？余心荒矣，目睛乱乎！二处之身不照孰真。"元妃佯曰："大王不悦。"具奉伎乐，饮以葡萄酒，重醉无知，复其旧服送著麤床。酒醒即寤，睹其陋室贱衣如旧，百节皆痛，犹被杖楚。数日之后，王又就之，翁曰："前饮尔酒，湎眩[21]无知，今始寤耳，梦处王位，平省众官，国史记过，群僚切磋，内怀惶灼，百节之痛，被笞不逾也。梦尚若斯，况真为王乎！往日之论，定为不然。"王还宫内，与群臣讲论斯事，笑者聒耳。王谓群臣曰："斯一身所更视听，始今尚不自知，岂况异世舍故受新，更[22]乎众艰[23]，魅[24]魅之拂、痱忤之困[25]，而云欲知灵化所往受身之土，岂不难哉？经曰：愚怀众邪欲睹魂灵，犹蒙晦行仰视星月，劳躬没齿[26]何时能睹？"于是群臣率土黎庶，始照魂灵与元气相合，终而复始，轮转无际,信有生死殃福所趣。

佛告诸比丘:"时王者,是我身也。菩萨普智度无极行明施如是。"(《六度集经》卷八《明度无极章》)

【注释】

[1]翫:同"玩"。

[2]不寤之畴:不容易领悟的道理。

[3]蜎(yuān)飞:飞虫。

[4]蚑(qí)行:多足爬行的虫类。

[5]释故禀新:吐故纳新。

[6]五涂:大笑道路。"涂"通"途"。

[7]暗:头脑昏昧。

[8]尟(xiǎn):少。

[9]耗:事物虚无微妙的部分。

[10]麤(cū)衣:粗布衣服。

[11]就:走近。

[12]率土:举国全境之内。

[13]蹠(zhí)翁:补鞋的老翁。"蹠"本意是足,此处指鞋子。

[14]佯:假装。

[15]猥(wěi)积:聚集,多而集中。

[16]百揆:百官。

[17]蒙蒙瞢瞢(méng):糊涂。瞢也作"瞢"。

[18]照:明白。

[19]痟(xiāo):酸痛。

[20]缘:为何。

[21]湎（miǎn）眩：因醉酒而神智不清。湎，沉迷之意。

[22]更：经历，遭受。

[23]众艰：各种艰难困苦。

[24]魃（bá）：传说中造成旱灾的鬼怪。

[25]痱忤之困：长痱子之类的困扰。

[26]劳躬没齿：劳苦终身。

《旧杂譬喻经》[1]

[三国吴]康僧会 译

1.萨薄降鬼喻

昔无数世有一商人,号曰萨薄。时适他国卖赍[2]货。所止近住佛弟子家。佛弟子家时作大福安施,高座众僧说法,讲论罪福、善恶由心、身、口所行及四谛[3]、非常[4]、苦空之法[5]。远道贾人时来寄听,心解信乐,便受五戒,曰优婆塞。上座以法劝乐之言:"善男子护身口、心十善具者。戒有五神[6],五戒有二十五神[7],现世卫护令无枉横,后世自致无为大道[8]。"

贾人闻法,重喜无量。后还本国,国中都无佛法,便欲宣化。恐无受者,以所受法教化父母、兄弟、妻子及诸中外,皆便奉法。

去贾人土千里有国,民多丰乐,宝物饶好。二国否塞[9],绝不复通百余年中。所以故,有阅叉[10]居其道中,得人便啖,前后无数,是故断绝,无往来者。贾人自念:吾奉佛戒,如经所道,及有二十五神见助不疑,听彼鬼唯一人耳,吾往伏之必获也。时有同贾五百余人,便语众人:"吾有异力,能降伏鬼。汝等能行诣彼者不?及有大利。"众人自共议:"二国不通,从来大久,若得达者,所得不訾[11]。"便相可适,进道而去。

来至中路,见鬼食处,人骸骨发狼藉满地。萨薄自念:鬼神

41

前后所可食人，今证验现。我死职，当恐此众人，便语众辈："汝等住此，吾欲独进。得胜鬼者，当还相迎；不得来者，知为遇害。便各还退，勿复进也。"于是独前。

方行数里，逢见鬼来。正心念佛，志定不惧。鬼到问曰："卿是何人？"答曰："吾是通道导师也。"鬼大笑曰："汝闻我名不？而欲通道。"萨薄曰："知汝在此，故来相求，当与卿斗。若卿胜者，便可食我。若我得胜，通万姓道[12]，益天下利矣。"鬼言："谁应先下手乎？"贾人言："吾来相求，故应先下。"鬼听可之。以右手叉之，手入鬼腹，坚不可出；左手复打，亦入。如是，两脚及头都入鬼中，不能复动。于是阅叉即以颂而问曰："手足及与头，五事虽绊羁。但当前就死，跳踉复何为？"

贾客偈答："手足及与头，五事虽被系，执心如金刚，终不为汝擘！"

鬼复说偈："吾为神中王，作鬼多力旅[13]，前后啖汝辈，不可复称数。今汝死在近，何为复诌语？"

贾客偈答："是身为无常，吾早欲弃离。魔今适我愿，便持相布施。缘是得正觉[14]，当成无上智。"

鬼说偈归依："志妙摩诃萨[15]，三界[16]中希有。毕为度人师，得备将不久。愿以身自归，头面礼[17]稽首。"

于是阅叉前受五戒，慈心众生，即为作礼，退入深山。萨薄还呼众人，前进彼土。于是二国并知五戒十善降鬼通道，乃识佛法至真无量，皆共奉戒，延敬三尊[18]，国致太平。后升天得道，乃五戒贤者直信之恩力也。

佛告诸比丘："时萨薄者我身是。菩萨行尸波罗蜜[19]，所度如是。"（《旧杂譬喻经》卷上）

【注释】

[1]《旧杂譬喻经》：二卷，三国吴僧人康僧会译。

[2]赍(jī)货：所携带的货物。赍，携带。

[3]四谛：即苦、集、灭、道，是圣者所见的四种真理。四谛说为佛教基本教义，是大小乘各宗共修、必修之法。苦谛是三界六趣之苦报；集谛为贪嗔等烦恼，及善恶之诸业也；灭谛即是涅槃，涅槃灭惑业而离生死之苦，真空寂灭，故名灭；道谛为八正道，此能通于涅槃，故名道。

[4]非常：也称"无常"，谓世间一切之法，生灭迁流，刹那不住。无常有二：一曰刹那无常，谓刹那有生、住、异、灭之变化；二曰相续无常，谓一期相续之上有生、住、异、灭之四相也。

[5]苦空之法：有漏果报之四相为苦、空、无常、无我。有漏之果报，具有三苦八苦之性，故称为苦；世间一切皆因缘而生，因缘而灭灭，无固定不变之实相，故称为"空"。

[6]五神：见"二十五神"。

[7]二十五神：二十五尊守护受持五戒者的善神，每戒有五神。

[8]无为大道：佛法。"无为"本是中国古代道家语，此处指涅槃。

[9]否塞：闭塞不通。

[10]阅叉：即夜叉。

[11]不訾(zī)：不可计量。"訾"通"赀"，计量。

[12]万姓道："万姓"即万民、民众，万姓道指通行天下之大道。

[13]力旅："旅"通"膂"，"力膂"也作"膂力"，力气的意思。

[14]正觉：梵语三菩提Sambodhi，意译"正觉"，真正的觉悟。

[15]摩诃萨:摩诃萨埵的略称,梵语 Mahasattva,又译"大心""大众生""大有情",指有作佛之大心愿的众生,亦即大菩萨。

[16]三界:指众生所居之欲界、色界、无色界。三界是迷妄众生流转的三重境界,因其如大海般无边无际,又称"苦界""苦海"。其中欲界是具有淫欲、情欲、色欲、食欲等有情所居之世界,色界乃远离欲界淫、食二欲而仍具有清净色质等有情所居之世界,无色界是唯有受、想、行、识四心而无物质之有情所住之世界。

[17]头面礼:"头面礼足"的简称,以头亲尊者之足,是佛教中最尊重的礼节。

[18]三尊:在这里指佛、法、僧三宝,是佛教信仰中应予尊崇的对象,因此有时用来代表佛教。

[19]尸波罗蜜:梵语 silaparamita 的音译,亦作"尸罗波罗密",意译为"持戒波罗蜜",谓持守戒律,并常自省,能对治恶业,使身心清凉。持戒波罗蜜是六波罗蜜之一。"波罗蜜"即完成、到彼岸,六波罗蜜又称"六度",是六种可以从生死苦恼此岸得度到涅盘安乐彼岸的法门,分别为布施、持戒、忍辱、精进、禅定、智慧。

2.孔雀王喻

过去无数劫[1],尔时有孔雀王,从五百妇孔雀相随。经历诸山,见青雀色大好,便舍五百妇追青雀。青雀但食甘露好果。

时国王夫人有疾,夜梦见孔雀王,寤则白王:"王当重募求之。"王命射师,有能得孔雀王来者,赐金百斤,妇以女女之。

诸射师分布诸山，见孔雀从一青雀，便以蜜麨处处涂树。孔雀日日为青雀取食。如是玩习，人便以蜜麨[2]涂己身。孔雀便取蜜麨，人则得之。语人言："我以一山金相与，可舍我。"人言："王与我金并妇，足可自毕已。"便持白王。

孔雀白大王："王重爱夫人，故相取。愿乞水来咒之，与夫人饮、澡浴。若不差[3]者，相煞[4]不晚。"王则与水令咒，授与夫人饮，病则除。宫中内外诸有百病，皆因此水悉得除愈。国王人民来取水者无央数，孔雀白大王："宁可木系我足，自在往来湖水中，方咒令民远近自恣取水。"王言："大佳。"则引木入湖水中，自极制[5]，方咒之。人民饮水，聋盲视听，跛伛皆伸。孔雀白大王："国中诸恶病悉得除愈，人民供养我如天神无异，终无去心。大王可解我足，使得飞往来入，入湖水中，暝止此梁上宿。"王则令解之。

如是数月，于梁上大笑。王问曰："汝何等笑？"答曰："我笑天下有三痴：一曰我痴，二曰猎师痴，三曰王痴。我与五百妇相随，舍追青雀，贪欲之意，为射猎者所得，是为我痴；射猎人我与一山金不取，言王当与己妇并金，是射猎者痴；王得神医，王、夫人、太子、国中人民诸有病者悉得除愈，皆便端正，王既得神医而不牢持，反纵放之，是为王痴。"孔雀便飞去。

佛告舍利弗："时孔雀王者，我身是也；时国王，汝身是；时夫人者，今调达妇是；时猎师者，调达是也。"（《旧杂譬喻经》卷上）

【注释】

[1]无数劫："劫"原为古代印度婆罗门教极大时限之时间

单位,梵语 kalpa。佛教沿用了这一概念,认为从天地生成到毁灭为一劫,而视之为不可计算之长大年月。无数劫,极言时间之长。

[2]蜜䴵:蜂蜜拌炒面。䴵(chǎo),炒面。

[3]差:同"瘥",痊愈。

[4]煞:同杀。

[5]极制:极力控制。

3.沙弥为龙作子喻

昔有罗汉[1]与沙弥[2],于山中行道。沙弥日日至道人家取饭,道经历堤基上行,崎岖危崄,常蹯[3]地覆饭,污泥土。沙弥取不污饭着师钵中,取污饭澡洗食之,如是非一日。

师曰:"何因澡弃饭味?"答曰:"行乞去时晴,还雨,于堤基蹯地覆饭。"师默然禅思[4]之,知是龙[5]娆[6]沙弥,便起到堤上,持杖叩撽之。龙化作老翁来,头面着地。沙门言:"汝何因娆我沙弥乎?"答曰:"不敢娆,实爱其容貌耳。"龙言:"何以日见其行?"师曰:"行乞饭。"龙言:"从今日为始,愿日日于我室食,毕我寿命。"沙门默然受请,还语沙弥:"汝往乞,止彼食,勿复持饭来。"沙弥日日于彼食。

后见师钵中有两三粒饭,香美非世间饭,问和上[7]曰:"于天上饭乎?"师默不应。沙弥便伺师,知于何许饭,便入床下,持床足。和上坐禅定意[8],床相随俱飞到龙七宝殿[9]上。龙及妇、诸彩女[10]俱为沙门作礼,复为沙弥作礼。师乃觉,呼出:"正汝心勿动,此非常之像,何因污意?"

饭已，即将还，语之："彼虽有殿，舍七宝、妇人、彩女，故为畜生耳。汝为沙弥，虽未得道，必生忉利天[11]，胜彼百倍。勿以污意。"语沙弥言："此百味饭，入口即化成虾蟆，意恶吐唾，逆反已，乃却饭，不复入。二曰妇女端正无比，欲为夫妇礼，化成两蛇相交。三曰龙背有逆鳞，沙石生其中，痛乃达心胸。龙有此三苦，汝何因欲之。"

沙弥不应，遂昼夜思想，于彼不食，得病而死。魂神即生，为龙作子，威神致猛。其父命尽，得脱生人中。

师曰："人未得道，不可令见道及国王内也。"[12]（《旧杂譬喻经》卷上）

【注释】

[1]罗汉：梵语 Arhat，"阿罗汉"的简称。声闻四果之一，小乘佛教中的最高果位，含有杀贼、无生、应供等义。杀贼是杀尽烦恼之贼，无生是解脱生死不受后有，应供是应受天上人间的供养。

[2]沙弥：意译"息慈"，即息恶、行慈。又译作"勤策"，即大僧勤加策励的对象。指佛教僧团中已受十戒，未受具足戒，年龄在七岁以上、二十岁以下的出家男子，二十岁以上本来应居比丘位，但以缘未及的出家男子被称作"名字沙弥"。

[3]躃(bì)：同"躄"，扑倒。

[4]禅思：禅定。

[5]龙：梵语 naga，音译那伽，古印度民间传说中的生物，经佛经结集者的加工再创造，成为八部众之首，有呼云唤雨的神力，也是守护佛法的异类。

[6]娆(rǎo)：扰。

[7]和上：同"和尚"。

[8]坐禅定意：坐禅，端身正坐而入禅定；定意，定心远离恼乱。

[9]七宝殿：用宝物装饰的宫殿。七宝又称作"七珍"，指世间七种珍贵宝玉。七宝具体所指，诸经说法不一，如《阿弥陀经》《大智度论》中七宝指金、银、琉璃、颇梨、砗磲、赤珠、玛瑙，《法华经》则以金、银、琉璃、砗磲、玛瑙、珍珠、玫瑰为七宝。

[10]彩女：同"婇女"，宫女。

[11]忉(dāo)利天：意译三十三天，为欲界六天中的第二重天，帝释天所居的天界，其宫殿在须弥山顶，有三十二个天臣，分居忉利天的四方，连同帝释天的宫殿，共三十三个天宫，所以叫做"三十三天"。此天一昼夜，人间一百年。

[12]修行者未得道时，心不坚定，极容易在物欲中迷失，使修行半途而废，故曰"人未得道，不可令见道及国王内也"。

4.月女与乞儿喻

昔有国王、夫人生一女，父母名为月女，端正无比。王与衣被、珍宝，辄言："自然[1]也。"至年十六，王恚言："此是我与汝，何言自然？"

后有乞儿来丐。王言："此实汝夫。"月女言："诺，自然。"便追去。乞人惶怖，不敢取。女言："汝乞食，常不饱。王与汝妇，何为让？"便俱出城。

昼藏夜进，行到大国。国王时崩，无太子。夫妇于城外坐，

48

出入行人问曰:"何等人?汝何姓名?何国来?"答曰:"自然。"如是十余日,时大臣使梵志八人于都城门,行人出入,以次相之,唯有此夫妇应相耳。是时,举国群臣共奉迎之为王。

王夫妇以正法治国,人民安宁,诸小王来朝,月女父王在中。饮食已去,月女特留父王。月女以七宝作鱼机关帐,牵一鱼百二十鱼现;推一鱼,户则开。下为父作礼,白父:"今已得自然。"父曰:"夫人行然,臣不及矣。"

师曰:"月女与乞儿宿命夫妇,俱田作。令妇取饷,夫遥见妇与沙门相逢于岸水边,止,从乞妇食,则分饭上道人,道人止饭。夫遥见两人,不谓有恶,持杖往见。道人飞去。妇言:'卿分自在,勿恚。'夫言:'两分者,我与共食也。'"

师曰:"夫有恶意,故堕贫家作子。后见道人欢喜,自悔责,故同受此福耳。"(《旧杂譬喻经》卷上)

【注释】

[1]自然:佛家所说的"自然",指不假造作之力的自然而然、本然如是之状态。

5.三醉人喻

昔佛从众比丘行,逢三醉人。一人走入草中逃。一人正坐搏颊[1],言:"无状犯戒。"一人起舞,曰:"我亦不饮佛酒浆,亦何畏乎?"

佛谓阿难[2]:"草中逃人,弥勒[3]作佛时当得应真[4]度脱。正坐搏颊人,过千佛[5],当于最后佛得应真度脱。起舞人,未央得

度也。"[6](《旧杂譬喻经》卷上)

【注释】

[1]搏颊：打自己嘴巴。

[2]阿难：佛陀十大弟子之一，善记忆，对于佛陀之说法多能朗朗记诵，故被誉为"多闻第一"。

[3]弥勒：佛名，梵语 Maitreya，意译"慈氏"。为贤劫千佛中的第五尊佛。现住在兜率天内院，经彼四千岁(即人间五十六亿七千万岁)，下生此界，于华林园龙华树下成正觉。

[4]应真：阿罗汉的旧译。

[5]千佛：过去、现在、未来三世各有一千佛出世，同一时期出现的一千尊佛称千佛。

[6]起舞人，未央得度也：未央，无尽头之意。三醉人都是出家人，醉酒是犯戒行为，但前两人有羞耻之心，故能得度；后一人全无羞愧之心，故不能得度。

6.施甘果喻

昔维卫佛[1]在世时，国中诸大姓各各一时供佛及比丘众。时有一大姓，贫无以供佛者，白言："愿比丘众有欲得药者，某悉当给之。"时有一比丘，身体有疾，大姓以一甘果与之食，比丘得安隐[2]除愈。大姓后寿尽，生天上[3]，胜诸天有五事：一者身无病，二者端正，三者命长，四者得财富，五者智慧。如是九十一劫中，上为天，下生大姓家，不堕三恶道[4]。乃至释迦文佛时，为四姓家[5]作子，名曰多宝。见佛欢喜，作沙门，精进得道，号为应真。

　　夫施,高行。沙门一逾波邪[6],秽浊一国人矣。(《旧杂譬喻经》卷上)

　　【注释】

　　[1]维卫佛:又译"毗婆尸佛",意译为胜观佛、净观佛,为过去七佛之第一佛。

　　[2]隐:同"稳"。

　　[3]生天上:托生到天上。

　　[4]三恶道:"六道"中依恶业可往来的三处,即地狱道、恶鬼道、畜生道。

　　[5]四姓家:古印度四个种姓,即婆罗门、刹帝利、吠舍、首陀罗。种姓制度是森严的等级制度,四个等级社会生活各方面有严格的规定,婆罗门主要是僧侣贵族,拥有解释宗教经典和祭神的特权;刹帝利是军事贵族和行政贵族,拥有征收各种赋税的特权;吠舍是雅利安人自由平民阶层,从事农、牧、渔、猎等行业,以布施和纳税的形式来供养前两个等级;首陀罗是地位最低的奴隶阶级。

　　[6]波邪:违反戒律。

7.新学比丘得道喻

　　昔有夫妇,俱持五戒,事沙门。有新学比丘不知经,至其门乞。夫妇请道人前坐,作饭食已毕,夫妇俱下地作礼言:"少小事道人,未曾闻经,愿开解蔽暗不及。"比丘低头无以答,曰:

"苦哉苦哉[1]。"夫妇心意俱解,言:"世间实苦。"应时俱得道迹。比丘见两人欢喜,亦得道迹[2]也。

师曰:"宿命累世三人兄弟,愿学道迹。同行,故俱道证。"(《旧杂譬喻经》卷上)

【注释】

[1]苦哉苦哉:"苦"是佛教对人生的最深刻认识之一,泛指逼迫身心的苦恼状态,与乐相对。佛教经典从不同角度论述"苦",有"二苦""三苦""四苦""八苦""十八苦"等种种说法。新学比丘虽然学佛未久,却无意间道出人生真谛。

[2]道迹:佛法。

8.国王绕塔[1]喻

昔有国王,出射猎,还,过绕塔为沙门作礼,群臣共笑之。王觉知,问群臣:"有金在釜,釜沸中以手取可得不?"答曰:"不可得。"王言:"以冷水投中,可得不?"臣白王:"可得也。"王言:"我行王事,射猎所作如汤沸;烧香然灯、绕塔,如持冷水投沸汤中。夫作王,有善恶之行,何可但有恶无善乎?"[2](《旧杂譬喻经》卷上)

【注释】

[1]绕塔:指由右旋绕佛塔,与"绕佛"同义,表恭敬仰慕。

[2]夫作王,有善恶之行,何可但有恶无善乎:国王意识到自己的行为中有恶的成分,并且主动用善的行为抵消恶。人生

在世，难免有不善的行为，所以应当有将功补过的意识。

9.伊利沙悭贪为天帝所化喻

昔有四姓，名"伊利沙"，富无央数，悭贪不肯好衣食。时有贫老公，与相近居，日日饮食，鱼肉自恣，宾客不绝。四姓自念：我财无数，反不如此老公？便杀一鸡，炊一升白米，着车上，到无人处下车。适欲饭，天帝释[1]化作犬来，上下视之。请谓狗言："汝若不能倒悬空中，我当与汝不？"狗便倒悬空中。四姓意大恐，何图有此？曰："汝眼脱着地，我当与汝不？"狗两眼则脱落地，四姓便徙去。

天帝化作四姓身体、语言，乘车来还，敕[2]外人："有诈称四姓，驱逐捶之！"四姓晚还，门人骂詈令去。天帝尽取财物，大布施。四姓亦不得归，财物尽，为之发狂。

天帝化作一人，问："汝何以愁？"曰："我财物了尽。"天帝言："夫有宝令人多忧。五家[3]卒至，无期积财；不食不施，死为饿鬼，恒乏衣食；若脱为人，常堕下贱。汝不觉无常，富且悭，贪不食，欲何望乎？"天帝为说四谛、苦、空、非身[4]。四姓意解欢喜，天帝则去。四姓得归，自悔前意，施给尽心，得道迹也。(《旧杂譬喻经》卷上)

【注释】

[1]天帝释：梵指色界初禅天的大梵天王，是佛法的守护神，娑婆世界的主宰，深信正法，每逢佛出世，必最先来请佛转法轮。

[2]敕:告诫。

[3]五家:世间财物为王、贼、火、水、恶子等五家所共有,人不能独享,故无须强求。

[4]非身:即"无我"。佛教认为诸法无常,不可执着于我及我身。

10.从师学道喻

昔有二人从师学道,俱去到他国。于道路见象迹,一人言:"此母象,怀雌子,象一目盲;象上有一妇人,怀女儿。"一人言:"尔何知?"曰:"以意思知也。汝不信者,前到当见之。"二人俱及象,悉如所言。至后,象与人俱生如是。

一自念:我与俱从师学,我独不见要。后还白师:"我二人俱行,此人见一象迹,别若干要,而我不解。愿师重开讲我,不偏颇也。"师乃呼一人问:"何因知此?"答曰:"是师所常道者也。我见象小便地,知是雌象。见其右足践地深,知怀雌也。见道边右面草不动,知右目盲。见象所止有小便,知是女人。见右足蹈地深,知怀女。我以纤密意思惟之耳[1]。"

师曰:"夫学,当以意思惟,乙[2]密乃达之也。夫简略者不至,非师之过也。[3]"(《旧杂譬喻经》卷上)

【注释】

[1]我以纤密意思惟之耳:我以细致的心思思考这些现象。

[2]乙:通"已"。

[3]夫简略者不至,非师之过也:若要以一持万,见微知著,

就必须遵循事物规律、耐心细致地思考。粗率大意者不能达到这种境界，问题在自身，不在老师。

11.狐言妇痴喻

昔有妇人，富有金银，与男子交通[1]。尽取金、银、衣，相追俱去。到急水边，男子言："汝持财物来，我先度之，当还迎汝。"男子便走去，不还。妇人独住在水边，见狐捕取鹰，舍取鱼；不得鱼，复失鹰。妇谓狐："汝何痴甚！捕两不得一。"狐言："我痴尚可，汝痴剧我也。"[2]（《旧杂譬喻经》卷上）

【注释】

[1]交通：私通。

[2]我痴尚可，汝痴剧我也：狐狸承认了自己的痴，又嘲笑妇人更痴，其实故事中出现的角色都有痴的表现。男子心术不正、骗人钱财是一种痴，女子遇人不淑、上当受骗是一种痴，狐狸贪心不足，最后两手空空，又是一种痴。故事戛然而止，却耐人寻味。

12.买祸喻

昔有一国，五谷熟成，人民安宁，无有疾病，昼夜伎乐无忧也。王问群臣："我闻天下有祸，何类？"答曰："臣亦不见也。"

王便使一臣至邻国，求买之。天神则化作一人，于市中卖之。状类如猪，持铁锁系缚。臣问："此名何等？"答曰："祸母。"曰："卖几钱？"曰："千万。"臣便顾之问曰："此何等食？"曰："日食一升针。"臣便家家发求针。如是人民两两三三,相逢求针。使至诸郡县扰乱在所,患毒无憀[1]。

臣白王:"此祸母,致使民乱,男女失业,欲杀弃之。"王言:"大善!"便于城外,刺不入,砍不伤,掊[2]不死。积薪烧之,身体赤如火。便走出,过里烧里,过市烧市,入城烧城。如是过,国遂扰乱,人民饥饿。坐厌乐[3],买祸所致。(《旧杂譬喻经》卷上)

【注释】

[1]憀(liáo):依赖;寄托。

[2]掊(pǒu):破开,剖。

[3]坐厌乐:坐,因为。厌,通"餍",满足。

13.鹦鹉灭火喻

昔有鹦鹉,飞集他山中。山中百鸟畜兽,转相重爱,不相残害。鹦鹉自念:虽尔,不可久也,当归耳。便去。

却后数月,大山失火,四面皆然。鹦鹉遥见,便入水以羽翅取水;飞上空中,以衣毛间水洒之,欲灭大火。如是往来,往来。

天神言:"咄,鹦鹉。汝何以痴!千里之火宁为汝两翅水灭乎?"鹦鹉曰:"我由[1]知而不灭也。我曾客是山中,山中百鸟畜兽皆仁善,悉为兄弟。我不忍见之耳!"

天神感其至意,则雨灭火也。(《旧杂譬喻经》卷上)

【注释】

[1]由:通"犹",尚且。

14.展转相煞[1]喻

佛与比丘俱行,避入草中。阿难问佛:"何因舍道行草中?"佛言:"前有贼,后三梵志当为贼所得。"

三人后来,见道边有聚金,便止共取。令一人还聚中市饭。一人取毒着饭中,煞二人,我当独得金。二人复生意,见来便共煞之。已,便食毒饭,俱死。三人各生恶意,展转相煞如是也。(《旧杂譬喻经》卷上)

【注释】

[1]煞:同"杀"。

15.掷环无所亡喻

昔有妇人,常曰:"我无所亡。"其子取母指环,掷去水中。已,往问母金镮所在,母言:"我无所亡。"母后日请目连[1]、阿那律[2]、大迦叶[3]饭时,当得鱼。遣人于市,买鱼归治,于腹中得金环。母谓子:"我无所亡。"

子大欢喜,往至佛所,问:"我母何因有此不亡之福?"佛言:"昔有一仙人,居北阴寒。至冬天,人人悉度山南。时有老独母,贫穷不能行,独止为众盖藏器物。春,人悉来还。母以物一一悉付还其主,众人皆欢喜。

佛言:"时独母者是汝母。前世护众人物故,得是无所亡福耳。"(《旧杂譬喻经》卷上)

57

【注释】

[1]目连:佛陀十大弟子之一,神通第一。

[2]阿那律:梵名 Aniruddha,佛陀十大弟子之一,天眼第一,能见天上地下六道众生。

[3]大迦叶:佛陀十大弟子之一,修行第一。

16.得道因缘喻

昔有三道人,共相问:"汝何因得道?"曰:"我于王国中,观葡萄大盛好,至晡[1]时,人来折,搣[2]取悉败,狼藉在地。我见,觉无常,缘是得道也。"一人曰:"我于水边坐,见妇人摇手澡[3]器,臂环更相叩,因缘合乃成声。我缘是得道也。"一人曰:"我于莲华水边坐,见华盛好。至晡,有数十乘车来,人、马于中浴,悉取华去。万物无常乃尔,我觉是得道也。"(《旧杂譬喻经》卷上)

【注释】

[1]晡(bū):申时,午后三点至五点。

[2]搣(miè):用手拔。

[3]澡:洗涤。

17.种一生十喻

昔舍卫城外有家人妇,为清信女[1],戒行纯具。佛自至门分卫[2],妇以饭着钵中,却作礼。佛言:"种一生十,种十生百,种百生千。如是,生万,生亿,得见谛道。"

其夫不信道德[3],默于后听佛咒愿,曰:"瞿昙[4]沙门,言何若过甚哉。施一钵饭,乃得尔所福,复见谛道?"

佛言:"卿从何所来?"

答曰:"从城中来。"

佛言:"汝见尼拘类树[5]高几许?"

答曰:"高四十里。"

"岁下数万斛[6]实,其核大如芥子?"

答曰:"少少耳。"

佛言:"一升乎?"

答曰:"一核耳。"

佛言:"汝语何若过乎!栽种一芥子,乃高四十里,岁下数十万子。"

答曰:"实尔。"

佛言:"地者无知,其报力尔。何况欢喜持一钵饭上佛,其福不可称量!"

夫妇心意开解,应时得须陀洹道也。(《旧杂譬喻经》卷上)

【注释】

[1]清信女:梵语 Upasika,音译"优婆夷",意译"清信女",指信奉佛法,在家修行,受三归五戒并具有清净信心的女子。

[2]分卫:乞食。

[3]道德:正法为"道",得道不失为"德"。

[4]瞿昙:梵语 Gautama,又译乔达摩,为古印度刹帝利种

中之一姓,是佛陀释迦牟尼的本姓。

[5]尼拘类树:植物名,梵语 Nyagrodha,意译为纵广、多根、无节等。尼拘类树类似榕树,树荫广大茂密,但种子不过是芥子的三分之一大小,故用以比喻对佛的小供养可产生广大的果报。

[6]斛:古代量器名,亦是容量单位,一斛本为十斗,宋朝开始,改为一斛为五斗。

18.沙门煮草悉成牛骨喻

昔有沙门,已得阿那含道,于山上煮草染衣。时有失牛者遍求牛。见山上有火烟,便往视。见釜中悉牛骨,钵化成牛头,袈裟化成牛皮。人便以骨系头,徇[1]行国中,众人共见之。

沙弥见日已中[2],捶揵椎[3],不见师至,便入户坐思惟。见师乃人所辱,则往,头面着足言:"何因如此?"曰:"久远时罪也。"沙弥言:"可暂归食。"两人则放神足[4],俱去。

沙弥未得道,常有恚未除,顾见清信士[5]及国人:国人乃取我师如此,使龙雨沙石,动此国,令之恐怖。念此适竟,四面雨沙,城坞屋室,皆悉坏败。师言:"我宿命一世屠牛为业,故得此殃耳。汝何缘作此罪乎?汝去,不须复与我相追。"

师曰:"罪福如是,可不慎矣?"(《旧杂譬喻经》卷上)

【注释】

[1]徇:通"巡"。

[2]日已中:依佛教戒律,日影过中不食。

60

[3]楗椎:寺庙中的木鱼、钟、磬等响器,也作"楗槌"。

[4]神足:神足通的简称。神足通乃"五通"之一。

[5]清信士:即优婆塞。

19.鳖不默声喻

昔有鳖,遭遇枯旱,湖泽干竭,不能自致有食之地。

时有大鹄[1]集住其边。鳖从求哀,乞相济度。鹄啄衔之,飞过都邑上。鳖不默声,问:"此何等,如是不止?"鹄便应之,应之口开,鳖乃堕地,人得屠裂食之。

夫人愚顽无虑,不谨口舌,其譬如是也。(《旧杂譬喻经》卷下)

【注释】

[1]大鹄(hú):天鹅。

20.鬼欲啖王喻

昔有梵志,从国王丐。王欲出猎,令梵志止殿上:"须[1]我方还。"乃出猎,追逐禽兽,与臣下相失[2]。到山谷中,与鬼相逢,鬼欲啖之。

王曰:"听我言。朝来于城门中,逢一道人从我丐。我言:'止殿上,待还。'今乞暂还,与此道人物已,当来就卿受啖。"鬼言:"今欲啖汝,汝宁肯来还?"王言:"善哉!诚无信者,我当念此道人耶?"鬼则放王。

王还宫出物与道人,以国付太子,王还就鬼。鬼见王来,感

61

其至诚,礼谢不敢食也。

师曰:"王以一诚,全命济国。何况贤者奉持五戒,布施至意,其福无量也。"(《旧杂譬喻经》卷下)

【注释】

[1]须:等待。

[2]相失:彼此失散。

21.斋福喻

天王释[1]及第一四天王[2],十五日三视天下谁持戒者。见持戒者,天即欢喜。时以十五日,天王释在正殿坐处,自念言:"天下若十五日三斋者,寿终可得吾位矣。"边诸天大惊言:"但十五日三斋,乃得如释处!"

有比丘已得阿罗汉,即知释心念,白佛言:"宁能审如释语不?"佛言:"释语不可信,为不谛说[3]。何以故?十五日三斋,精进者可得度世[4],何为释处?如是为不谛说,为未足信。"

谁能知斋福者?唯佛耳。(《旧杂譬喻经》卷下)

【注释】

[1]天王释:即天帝释。

[2]四天王:护持正法的四位天王。须弥山半腹有犍陀罗山,山有四头,各有一王居之,各护一天下,称为护世四天王。其所居之处是四王天,乃六欲天之第一。四天王分别为东方持国天王、南方增长天王、西方广目天王、北方多闻天王。

[3]不谛说:不真实的说法。

[4]度世:指度脱三世迷界。度即渡、出,"度世"犹言出世。

22.破鬼神像喻

昔有五道人俱行,道逢雨,过一神寺中宿。舍中有鬼神形像,国人吏民所奉事者。四人言:"今夕大寒,可取是木人,烧之用炊。"一人言:"此是人所事,不可败。"便置不破。

此室中鬼常啖人,自相与语言:"正当啖彼一人,是一人畏我,余四人恶不可犯。"其呵止不敢破像者,夜闻鬼语,起呼伴:"何不取破此像用炊乎?"便取烧之。啖人鬼便奔走。

夫人学道,常当坚心意,不可怯弱,令鬼神得人便也。(《旧杂譬喻经》卷下)

23.沙门衣堕地喻

昔沙门于山中行道,里衣[1]解[2]堕地,便左右顾视,徐牵衣衣之[3]。山神出谓道人:"此间亦无人民,衣堕地,何为匍匐[4]著衣?"沙门言:"山神见我,我亦复自见,上日月、诸天见我,于义不可。身露无有惭愧,非佛弟子也。"(《旧杂譬喻经》卷下)

【注释】

[1]里衣:贴身的内衣。

[2]解:脱落。

[3]徐牵衣衣(yì)之:慢慢地拿起衣服穿上。第二个"衣"是

动词,穿。

[4]匍匐:趴在地上。

24.如来所见喻

昔摩诃[1]目犍连坐于树下,自试道眼[2],见八千佛刹[3],意自念言:"如来所见,尚不如我。"作师子步,行诣佛所。

佛告目连:"汝声闻[4]种,今者何故作师子步[5]?"目连白佛:"我自所见,八方[6]面,八千佛刹,想佛所视,又不如我,故师子步。"佛言:"善哉,目连所见广大乃尔!"佛告目连:"譬如灯明,比方摩尼[7]相去甚多。"佛言:"我眼所见,十方[8]各如十恒沙刹[9],一沙为一佛刹,尽见其中所有一切。有从兜术天[10]来入母腹中者,及有生者,有出家行学道者,有降伏魔者,有释梵[11]来劝助者,有转法轮[12]一切说法者,有欲般泥洹[13]者,有已般泥洹烧舍利者[14]……如是等辈,不可计数。我持是眼,悉已见之。"佛放眉间毫相[15]之光,彻照上方;放身中光,遍照八隅;放足下光明,洞照下方各百千刹。应时十方诸刹六反震动[16],其大光明,无所挂碍。时目犍连即于佛前,见无央数千恒沙无边刹,其中所有如佛前说,白佛言:"佛属所说十恒沙刹,今佛所现,乃尔所乎?"佛语目连:"用汝不信,故小说[17]耳。今我所现,如是之比,不可胜计。"

摩诃目犍连闻说是事,身即躄[18]地如大山崩,举声大哭:"我忆知[19]佛有是功德,今方如此,宁令我身入大泥犁[20]?右胁[21]见者,过于百劫,不取罗汉[22]。"目连便言诸在会[23]者:"世尊[24]说我'神足第一',尚不足言;所作功德,不及知此,何况未

64

有所得者耶？发心所作，当志如佛。莫得效我，化为败种[25]。"一切会者，龙神人民，无央数千，皆发无上平等度意。发大道心者，即得阿惟越致[26]。已得不退转者，皆悉逮得[27]阿惟颜[28]住也。（《旧杂譬喻经》卷下）

【注释】

[1]摩诃：梵语音译，乃大、多、胜、妙之意。"摩诃目犍连"即大目犍连，是对目犍连的尊称。

[2]道眼：修道而得之眼通，又作天眼通、观道眼，为"六神通"之一。

[3]佛刹：指佛所住之国土，又作佛国土、净土；有时也指一般寺院堂宇。

[4]声闻：指听闻佛陀声教而证悟的出家弟子；或泛指修习四圣义谛而证悟成道，已经完全了知无我的小乘修行者，又称"阿罗汉"。

[5]师子步："师"通"狮"。狮子步，形容像狮子行走般的步伐。

[6]八方：东、西、南、北为四方，东南、东北、西南、西北为四维，四方、四维合称"八方"。

[7]方(páng)摩尼：大珠。

[8]十方：八方再加上上、下，为十方。

[9]十恒沙刹：十条恒河中沙子那样多的佛国净土。

[10]兜术天：即兜率天，梵语 Tusita，意译知足天、妙足天、喜足天、喜乐天。乃欲界六天之第四天，此天一昼夜，人间四百年，天寿四千岁，合人间五亿七千六百万年。在此天之人，多于自己所受，生喜乐知足之心，故有此名。释尊成佛以前，在兜率

天,从天降生人间成佛。未来成佛的弥勒,也住在兜率天,将来也从兜率天下降成佛。兜率天的弥勒菩萨住处,有清净庄严的福乐,又有菩萨说法,佛弟子向往之处。

[11]释梵:释指天帝释。梵指色界初禅天的大梵天王,是佛法的守护神,娑婆世界的主宰,深信正法,每逢佛出世,必最先来请佛转法轮。

[12]转法轮:佛教之法如车轮旋转,能转凡成圣,碾摧一切的烦恼,故被喻为法轮。佛为众人说法度脱,谓之转法轮。

[13]般泥洹:梵语 parinirvana,又译"般涅槃",意译为"圆寂",与"涅槃"同义,意为熄灭或吹熄之状态。当烦恼之火烧尽,即是成大智慧而臻于觉悟之境,是佛教修行的最高境界。

[14]烧舍利者:舍利,梵语śarīra的音译,指佛陀之遗骨,后世也指高僧死后焚烧所得的骨头。文中"烧舍利者"指达到涅槃寂灭境界之后烧遗体能得到舍利的修行者。

[15]眉间毫相:佛陀三十二相之一,又作毫眉、白毫相。即如来眉间生白毛之相,初生时长五尺,成道时长一丈五尺,右旋如旋螺,发放光明,称白毫光。众生遇白毫光可消除业障、身心安乐。

[16]六反震动:指大地震动的六种相状,又称"六变震动",略称"六震"或"六动"。有三种之六动:一为动六时,即佛入胎、出胎、出家、成道、转法轮、入涅盘;二为动六方,即东涌西没、西涌东没、南涌北没、北涌南没、边涌中没、中涌边没;三为动六相,即动、涌、震、击、吼、爆。不同的佛经中对三种六动具体名目的说明略有差异。

[17]小说:简单地说一点儿。

[18]躄(bì)：扑倒。

[19]忆知：记得。

[20]泥犁：梵语 niraya，意译为地狱，其中喜乐之类一切皆无，为十界中最劣之境界。

[21]右胁：右侧腋下肋骨。

[22]不取罗汉：不能达到阿罗汉的果位。

[23]会：法会，宣讲佛法或供佛施僧的集会。

[24]世尊：世界中之最尊者，是佛的尊号。

[25]败种：腐败的种子，也称"败根""焦种"。指不能发无上道心之二乘（声闻、缘觉），永不成佛。

[26]阿惟越致：梵语 Avaivart，又作阿毗跋致、阿鞞跋致，意译为不退转，是菩萨的阶位名，要经过一大阿僧只劫的修行，才能到达此位。不退有三义：入空位不退；入假行不退；入中念不退。

[27]逮得：证得。

[28]阿惟颜：意译"一生补处"，原为"最后之轮回者"之义，谓经过此生，来生定可在世间成佛。

25.龙王得解脱喻

昔有龙王，名曰拔抵，威神广远，多所感动，志性急憋[1]，数为暴虐，多合龙共为非法风、雨、霹雳、雹，煞[2]人民、鸟兽、蠕动[3]，积无央数。

有尊罗汉万人，自共议言："若煞一人，堕地狱一劫，百偿死罪，犹故不毕。今者此龙残害众生，前后不訾。遂尔不休转，恐难度。幸当共往谏止之耳。"时佛知之,赞言:"善哉!汝等出家,求无为道[4],欲救一切危厄之命,度有罪者。大快当尔,是为报恩。"

时诸罗汉自相谓言:"不足。"乃使万人俱行。于是一人各各更往,辄被厄害,不能自前,还相谓言:"虽独行不能降化屈折此龙,使改为善,当更合会万人功德,俱时共行。"即都复往,龙放风雨、雷雹、霹雳,万人惊怖,不知所至,逆为所辱,顿伏来还。

阿难白佛:"此龙残杀乃尔,所人及诸畜狩[5],其罪太多,已不可计。今复加雹,怖万罗汉,雨其衣被,状如溺人,其罪深大,叵复胜计。"是时佛在耆阇崛山[6],与万菩萨万罗汉俱。往诣异山,到龙止所。龙便嗔恚,兴暴雨、疾雷、雹、霹雳。其放一雹,令辟[7]方四十丈;若至地者,入地四尺,欲以害佛及菩萨、僧。时雹适下,住于空中,化成天花。佛放光明,广有所照。诸在山中射猎行者,遭值云雨,窈冥迷惑,不识东西。合万余人,皆寻光来,诣佛所住。龙复霹雳,放下大石,方四十丈,若石至地者,陷入地中当四尺。石于佛上,与前华合,化成华盖[8]。小龙雹石,各方一丈,亦皆如是。

前诸罗汉,见龙灾变,各怀恐怖,前依近佛。龙于云间,自见雹石,化为花盖,悬于虚空而不下至,复自念言:"我当以身坚自槃[9]结,令四十丈,欲以澎佛及众僧上。"即时自扑,无所能中,遍身毒痛,倒地甚久。举头开目,仰视见佛:"我之所为,皆不如意,疑是尊妙无上神人。"于是小龙而皆自扑,无所动摇。龙王是时即便命尽,上生为天;诸余小龙,亦皆并命[10],得作天子[11]。皆悉来下,住于佛边。

佛告阿难："汝知是天所从生不?"对曰："不及。"佛言："属者诸龙兴恶意者,汝言'罪大不可胜计'。自扑在地,发一善心,知佛为尊,命尽为天,此者是也。"

天闻佛言,及诸天子皆发无上平等度意。是时猎人诸在山中来诣佛者,皆自念言:"此龙之罪,尚得解脱;我之所害,方之此龙,盖亦无几。"欲发道意,心尚犹豫。佛告阿难:"此万罗汉,欲度诸罪,力所不任。若无我者,为龙所制,不能度恶,还益其罪。欲度一切,当先禅定思惟可度,然后乃行。汝等不能度者,怛萨阿竭[12]能度不度。"

是时猎人闻说如是,皆发无上平等度意。天、龙、人民其在会者,佛为说经,皆得阿惟越致。

昔龙王拔抵与释迦文佛[13]共为婆罗门。拔抵弟子时有万人,见释迦文为人才,猛舍其师,事释迦文。拔抵怀恚,罪至为龙。佛德既成多,度一切;弟子万人,皆得罗汉。龙恶遂盛,广欲为害。万人悯伤[14],故欲往度。曾为师,故四道[15]虽足,犹受其辱。若为菩萨,龙欲加恶,终不敢也。(《旧杂譬喻经》卷下)

【注释】

[1]急憋:性情暴躁。

[2]煞:同"杀"。

[3]蠕动:泛指爬行的昆虫。

[4]无为道:佛法。

[5]畜狩:家畜和野兽。

[6]耆(qí)阇(shé)崛(kū)山:即灵鹫山,见《生经·佛说堕珠著海中经第八》篇注释。

[7]辟：大。

[8]华盖：以花朵装饰的伞盖。

[9]槃：同"盘"。

[10]并命：同死。

[11]天子：天神。

[12]怛（dá）萨阿竭：梵语 Tathagata 的音译，又译"多陀阿伽度"，意译为"如来"，是佛陀十大称号之一。《金刚经》云："无所从来，亦无所去，故名如来。"

[13]释迦文佛：即释迦牟尼佛。

[14]悯伤：哀怜悯恤。

[15]四道：指断除烦恼、证得真理之四种过程。一为加行道，又称方便道，即为求断除烦恼，而行准备之修行；二为无间道，又称无碍道，即直接断除烦恼之修行，由此可无间隔地进入解脱道；三为解脱道，即已自烦恼中解脱，证得真理，获得解脱之修行；四为胜进道，又称胜道、三余道，即于解脱道之后，更进一步行其余之殊胜行，而全然完成解脱，或满足断惑，而作观察之修行。

26.菩萨善度喻

昔有一国，人民炽盛[1]，男女大小，广为诸恶，性行刚憨[2]，凶暴难化。佛将弟子到其邻国。五百罗汉心自贡高[3]。

摩诃目犍连前白佛言："我欲诣彼，度诸人民。"佛即听之。往说经道："言当为善。若为众诸恶，其罪难测。"覆一国人皆共挝[4]骂，不从其教。于是复还。舍利弗谓目犍连："欲教诸人，当以智慧，如更见毁[5]。"舍利弗白佛："我欲诣彼，劝度人民。"佛复听往。为说教戒，复不从用，而被唾辱。摩诃迦叶及尊弟子，合五百人，以次遍往，不能度之，咸见轻毁。阿难白佛："彼国人恶，不受善教，多所折辱。辱一罗汉，其罪不訾，况乃违戾[6]尔所人教，当获重罪，虚空不容。"佛言："此罪虽为深重，菩萨视之，静[7]为无罪。"

佛遣文殊师利[8]往度脱之。即到其国都，赞叹言："贤者所为，何乃快耶！"诣其王所，皆面称誉。各令大小人人闻知，言某勇健，某复仁孝，某有胆慧……随其所在，应意叹誉，皆欢喜不能自胜，言："此大人所说神妙，知我志操，何一快善！"众人各持金宝、香花，散菩萨上。咸持好叠[9]，锦彩衣服、甘脆美味、饮食肴膳，供奉菩萨，皆发无上平等度意。

文殊师利谓人民曰："汝供养我，不如与我师。我师名佛，可往共供之，福倍无量。"一切甚悦，随文殊师利往诣佛所。佛为说经，应时即得阿惟越致。三千国土[10]为大震动，山林树木皆赞言，叹："文殊师利，善度如是！"

佛告阿难："深大之罪，今为所在？"五百罗汉躄地，泪出："菩萨威神，所化如是；何况如来，可复称说耶？我为败种，无益一切也！"（《旧杂譬喻经》卷下）

【注释】

[1]炽盛：繁盛、众多。

[2]刚愍：强悍凶暴。

[3]贡高：佛教语，骄傲自大之意。

[4]挝(zhuā)：敲打，击打。

[5]如更见毁：如，而。更，却。见，被，遭到。

[6]违戾：违背。

[7]静：通"竞"。

[8]文殊师利：菩萨名，略称"文殊"，与普贤为一对，常侍释迦如来之左，司智慧。

[9]叠：通"氎(dié)"，一种西域出产的细棉布。

[10]三千国土：即大千世界，或称三千大千世界。在古印度人的宇宙观中，以须弥山为中心，周围环绕四大洲及九山八海，称为一小世界，一小世界以一千为集，形成一个小千世界，一千个小千世界为中千世界，一千个中千世界为大千世界。大千世界因由小、中、大三种千世界所集成，故称三千大千世界。

27.甘果上佛喻

昔有一人，年少贫苦，行诣他国，得一甘果，香美且大，世所希有。辄爱惜之，不敢啜尝，心念父母，欲以果与，即持果归，还维耶离[1]。

时佛入城，与诸菩萨大弟子俱诣长者[2]家，就檀越[3]请。佛适过去，人未至家，手持果投在佛处。从少及长，未曾闻佛，见佛足迹，相轮[4]如盖，光色众变，亦无缺减。便住足边，视之无厌，心自侥幸，亡悲亡喜：地之行迹，犹尚乃尔，况此人身，诚非世有；度是行人，必当来还，我当掇置父母之分，待此人至，以果上之。佛未周旋，人坐迹旁，悲思泪出。道路行者来，问此人："为持果坐此悲耶？"答言："守此无极尊迹，待留神人，冀其当还。欲以此果自归上之，迟[5]见光颜，未得如愿，自鄙薄祐，是故悲耳。"行路问者聚观如云,岂怪此人,谓之狂痴:"讵[6]知行者还在何?斯欲待之乎?"

佛到檀越长者家坐,众僧澡讫,以次坐定。长者大小,手下饭具,众味遍设,皆悉备足。佛遥达俅[7]道中守迹持果延竦[8]欲上佛者。于是食讫,檀越自念:世尊达俅,属不见及,即遥祝愿外持果者,将以所供有不可乎?佛告阿难:"长者供具,福往耳。所为虽广,意有所冀,心怀四惧[9],志在灭度。外有年少,手持甘果,一心无他,守我足迹,慈悲待我,思欲上果。用一切故,发大道意,是以在坐,并遥达俅。"长者念言:"是人果施,而无异馔,佛叹其德,甚为高妙;我虽豪富,所设为丰,计意[10]轻重,福为不如。愿侍随佛,往见此人。"

佛便起坐,到守迹人所。菩萨、弟子、长者、居士并余众辈,应时皆从。彼持果者,遥见佛往,身相[11]众好,光逾日月,即前迎佛,稽首作礼,因以此果,长跪上佛,即发无上平等度意。佛放光明,彻照无极,三千世界为大震动,十方诸佛及诸菩萨应时皆现。如镜中像,不以远近,无不见者。佛受其果,转施诸佛等,令一果周遍无极。十方诸佛及诸菩萨,各从袈裟伸金光手,放千亿炎[12]。其一炎端,各各自然有宝莲花珠交露帐、师子之座,上有坐佛及诸菩萨,皆持宝钵,受得此果。各持一果,神变达嘅。释迦文佛亦复如是,于此世界,照耀十方。虚空神、天一切充满,八维[13]上下,无空缺处,皆助欢喜,赞善称叹。三界诸菩萨皆得应蒙[14]。时上果者,得不起忍[15]。佛授其决[16],后当作佛,号果尊王无上正觉,所有国土如阿弥陀刹[17],应闻世尊所有国土,自然清净,得阿惟颜。长者居士向道迹者无数千人,不退转地。大度其德如是也。(《旧杂譬喻经》卷下)

【注释】

[1]维耶离:梵语 Vaishali,又译"毗耶离""毘舍离""吠舍离",古印度城名,位于现在的印度比哈尔邦。此城是维摩诘所居之城,佛陀曾到此说法。

[2]长者:居士。

[3]檀越:施主。

[4]相轮:指"千辐轮相",为佛三十二相之一,又称足下轮相、足下千辐轮相、常现千辐轮相等,谓佛足掌纹如千辐轮。此相不仅现于足底,亦可见于佛之双手。千辐轮相象征佛之转法轮,现于足下,表示游化诸处转法轮。

[5]迟(zhì):等到。

[6]讵:岂,难道。

[7]达傺(chèn):梵语的音译,意译为财施、施颂。主要指布施之金银财物等。又指受施主布施之后,为施主说法。前者称为财施,后者称为法施,二者皆可称达傺。

[8]延竦:等待。竦有伸长脖子,提起脚跟站立之意,形容恭敬的神态。

[9]四惧:指对生、老、病、死四种痛苦的畏惧。

[10]计意:权衡。

[11]身相:形容佛或菩萨具备三十二相、八十种好的用语。

[12]炎:通"焰"。

[13]八维:东、西、南、北称四方,东南、西南、东北、西北成为思维,四方、思维合称八维。

[14]应蒙:蒙受供养。

[15]不起忍:即不起法忍、无生法忍。"法忍"是指对佛法有所疑惑的心理状态。

[16]授其决:授决也称授记。区别、分析、发展之意。本指分析教说,或以问答方式解说教理;转指弟子所证,或死后生处;后来专指未来世证果,及成佛名号的预言。

[17]阿弥陀刹:佛国净土。

《佛说九色鹿经》[1]

[三国吴]支谦[2] 译

昔者菩萨[3]身为九色鹿,其毛九种色,其角白如雪,常在恒水边饮食水草,常与一乌为知识[4]。时水中有一溺人随流来下,或出或没得着树木,仰头呼天:"山神树神诸天龙神,何不愍伤[5]于我。"鹿闻人声走到水中,语溺人言:"汝莫恐怖,汝可骑我背上捉我两角,我当相负出水。"既得着岸,鹿大疲极。溺人下地绕鹿三匝,向鹿叩头,乞与大家[6]作奴,供给使令,采取水草,鹿言:"不用汝也,且各自去,欲报恩者莫道我在此,人贪我皮角必来杀我。"于是溺人受教而去。

是时国王夫人,夜于卧中梦见九色鹿,其毛九色其角白如雪,即托病不起。王问夫人:"何故不起?"答曰:"我昨夜梦见非常之鹿,其毛九种色其角白如雪,我思得其皮作坐褥,欲得其角作拂柄,王当为我觅之,王若不得者我便死矣。"王告夫人:"汝可且起,我为一国之主,何所不得。"

王即募于国中:"若有能得九色鹿者,吾当与其分国而治,即赐金钵盛满银粟,又赐银钵盛满金粟。"于是溺人闻王募重,心生恶念:"我说此鹿可得富贵,鹿是畜生死活何在。"于是溺人即便语募人言:"我知九色鹿处。"募人即将溺人至大王所,而白王言:"此人知九色鹿处。"王闻此言即大欢喜,便语溺人:"汝若能得九色鹿者,我当与汝半国,此言不虚。"溺人答王:"我能得之。"于是溺人面上即生癞疮。溺人白王:"此鹿虽是畜生,大有威神,王宜多出人众,乃可得耳。"

王即大出军众,往至恒水边。时乌在树头见王军来,疑当杀鹿,即呼鹿曰:"知识且起,王来取汝。"鹿故不觉,乌便下树踞其头上,啄其耳言:"知识且起,王军至矣。"鹿方惊起,便四向顾视,见王军众已绕百匝,无复走地,即趣王车前,时王军人即便挽弓欲射,鹿语王人:"且莫射我,自至王所欲有所说。"王便敕诸臣:"莫射此鹿,此是非常之鹿,或是天神。"

鹿重语大王言:"且莫杀我,我有大恩在于王国。"王语鹿言:"汝有何恩?"鹿言:"我前活王国中一人。"鹿即长跪重问王言:"谁道我在此耶?"王便指示车边癞面人是,鹿闻王言,眼中泪出不能自止,鹿言:"大王,此人前日溺深水中,随流来下或出或没,得着树木仰头呼天:"山神树神诸天龙神何不愍伤于我。"我于尔时不惜身命,自投水中负此人出,本要不相道,人而反复,不如负水中浮木。"

王闻鹿言甚大惭愧,责数其民语言:"汝受人重恩云何反欲杀之!"于是大王即下令于国中:"自今已往若驱逐此鹿者,吾当诛其五族。"于是众鹿数千为群皆来依附,饮食水草不侵禾稼,风雨时节五谷丰熟,人无疾病灾害不生,其世太平运命化去。

佛言:"尔时九色鹿者,我身是也,尔时乌者今阿难[7]是,时国王者今悦头檀[8]是,时王夫人者,今先陀利[9]是,时溺人者今调达[10]是。调达与我世世有怨,我虽有善意向之,而故欲害我。阿难有至意,得成无上道。菩萨行羼提波罗蜜[11]忍辱如是。"

【注释】

[1]《佛说九色鹿经》:此经经文极短,内容饶有趣味,在民间广为流传。以此经为蓝本绘成《九色鹿经图》,绘于敦煌257号洞窟的西壁中部,色彩艳丽,是敦煌莫高窟最优美的壁画之一。

[2]支谦:三国时佛经翻译家,又名支越,字恭明。他的祖先是后汉灵帝时入中国籍的月支族后裔,早年随祖父迁来汉地。他从小就受汉族文化的影响,精通汉文,后又兼学梵书,受业于同族学者支亮,通达大乘佛教理论。译出佛经《大明度无极经》《大阿弥陀经》等八十八部、一百一十八卷,创作了《赞菩萨连句梵呗》三契,其翻译以大乘“般若性空”为重点,为安世高、支谶以后译经大师。

[3]菩萨:大乘佛教所追求的商丘菩提(觉悟)、下化众生、于未来世成就佛果的修习者。

[4]知识:知心识形,朋友。

[5]愍伤:可怜。

[6]大家:对于对方的尊称。

[7]阿难:梵名 Ananda,释迦牟尼的堂弟,后随同出家,是“十大弟子”之一。善记忆,对于佛陀之说法多能朗朗记诵,故被誉为“多闻第一”。阿难天生容貌端正,面如满月,眼如青莲花,其身光净如明镜,故虽已出家,却屡遭妇女之诱惑,然阿难志操坚固,终得保全梵行。

[8]悦头檀:即净饭王,释迦牟尼之父。

[9]先陀利:婆罗门女,为腹盆以谤佛,是“佛九恼”之一。

[10]调达:梵语 Devadatta,又译“提婆达多”,为释尊叔父斛

78

饭王之子,阿难之兄弟,随佛陀出家,后自立僧团,是佛陀的叛逆者,对释尊施予迫害的恶比丘。

[11]羼提波罗蜜:忍辱,是大乘佛教修习的六波罗蜜的第三项;即能忍受一切有情、非情所带来的迫害或苦难等。波罗蜜,梵语 pâramitâ,又作波罗蜜多、波啰弭多。超度到彼岸的意思。

《撰集百缘经》[1]

[三国吴]支谦 译

1.乾闼婆[2]作乐赞佛缘

佛在舍卫国祇树给孤独园[3]。时彼城中有五百乾闼婆,善巧弹琴,作乐歌舞,供养如来,昼夜不离,名闻远彻,达于四方。时彼南城。有乾闼婆王,名曰善爱,亦巧弹琴,作乐歌舞,于彼土中。更无酬对,憍慢自大,更无有比。

闻其北方有乾闼婆,善巧弹琴,作乐歌舞,故从彼来,涉历诸土,经十六大国,弹一弦琴,能令出于七种音声,声有二十一解。时诸人民闻其弹琴,作乐歌舞,欢娱自乐,狂醉放逸,不能自制,共相随逐来诣舍卫,欲得见王,致意问讯,角试技术。时城郭神及乾闼婆启白王言:"云南方国有乾闼婆王,名曰善爱,快能弹琴,作乐戏笑。今在门外,致意问讯,云在彼间,遥承王边有乾闼婆,善巧弹琴,歌舞戏笑,故从远来,求共角试弹琴技术。愿王今者听使所白。"

时波斯匿王告守门者:"疾唤来入。"共王相见,各怀欢喜。善爱白言:"承闻王边有乾闼婆,善巧弹琴,歌舞戏笑,今在何许?我今当共角试技术。"王即答曰:"我不相惮,去此不远,我今共汝往至于彼,随意角试。"

时王然可,至世尊所。佛知王意,寻自变身,化作乾闼婆王，将天乐神，般遮尸弃[4]，其数七千，各各手执琉璃之琴，侍卫左右。时波斯匿王语善爱言："此皆是我作乐诸神，汝今可共角试琴术。"时善爱王即便自取一弦之琴，而弹鼓之，能令出于七种音声，声有二十一解，弹鼓合节，甚可听闻，能令众人欢娱舞戏，昏迷放逸，不能自持。

尔时如来复取般遮尸弃琉璃之琴，弹鼓一弦，能令出于数千万种，其声婉妙，清彻可爱，闻者舞笑，欢娱爱乐，喜不自胜。时善爱王闻是声已，叹未曾有，自鄙惭愧先所弹琴所出音声，即便引伏，长跪叉手，请为大师，更咨琴法。

尔时如来见善爱王除去我慢，心已调伏，还复本形。诸比丘僧默然而坐，心惊毛竖，寻于佛前，深生信敬，长跪合掌，求入道次。佛即告言："善来比丘。"须发自落，法服着身，便成沙门。精勤修习。未久之间，得阿罗汉果。

时波斯匿见善爱王心已调伏，复得道果，心怀欢喜，长跪请佛及比丘僧。佛即然可，敕诸群臣，平治道路，除去瓦石污秽不净，建立幢幡，悬诸宝铃[5]，香水洒地，散众名华，安置床榻，设诸肴膳，供养佛僧。时诸比丘，见是供养，怪未曾有，而白佛言："如来世尊，宿植何福，今者乃有如是音乐供养如来，终不远离？"

尔时世尊告诸比丘："汝等谛听，吾当为汝分别解说。乃往过去无量世时，波罗奈国[6]有佛出世，号曰'正觉'，将诸比丘，游行教化。至梵摩王国，在一树下，结跏趺坐[7]，入火光三昧[8]，照于天地。时彼国王将诸群臣数千万众，出城游戏，作倡伎乐，歌舞戏笑，遥见彼佛及比丘僧在丁树下结跏趺坐，光明赫弈[9]，照于天地，如百千日，心怀欢喜，将诸伎女往到佛所，前礼佛足,作乐供养,长跪请佛:'唯愿世尊及比丘僧大慈怜愍,来入宫中,受我供养。'佛即然可,设诸肴膳,供养讫已,佛即为王种种说法,发菩提心,即授王记:'汝于来世,当得作佛,号释迦牟尼,广度众生,不可限量。'"

佛告诸比丘:"欲知彼时梵摩王者,则我身是,彼时群臣者,今诸比丘是,皆由彼时供养佛故,无量世中,不堕地狱畜生饿鬼,天上人中,常受快乐,乃至今者自致成佛,有是音乐而供养我,终不远离。"

尔时诸比丘,闻佛所说,欢喜奉行。(《撰集百缘经》卷二《报应受供养品第二》)

【注释】

[1]《撰集百缘经》:又称《百缘经》,共十卷,相传由佛祖大弟子迦叶佛编撰。三国时期东吴的月氏裔翻译家支谦将其译为汉文。全书分十品,分别为《菩萨授记品》《报应受供养品》《授记辟支佛品》《出生菩萨品》《饿鬼品》《诸天来下供养品》《现化品》《比丘尼品》《声闻品》《诸缘品》,每品各有十缘,故有"百缘"之名。该经以故事宣扬佛理,通俗易懂,趣味性强。其中的故事有的神话色彩强,显示出卓绝的想象力,有一些则涉及当时的历史事件,能让读者了解古代印度的政治与社会生活。

[2]乾闼婆:古印度神话中奉侍帝释天并司奏雅乐的天神,又称寻香神、乐神、执乐天,为八部众之一。传说不食酒肉,唯以香气为食。其状貌说法不一,或谓身上多毛,半人半兽,或谓丰姿极美。

[3]祇树给孤独园:梵名Jetavana,也译为祇园精舍、祇苑、

祇洹、祇陀林、逝多林、胜林等,是佛教圣地之一。"祇树"指波斯匿王的太子逝多的园林,"给孤独"是舍卫城的长者,即波斯匿王的主藏吏须达的别号。此精舍的土地原是逝多太子所有,须达长者欲购其地以建精舍献予佛陀,乃依太子所提条件,以金钱布满园中之地,太子感其诚心,遂施园中所有林木,两人合建精舍,故名祇树给孤独园。佛陀曾在祇园精舍度过多次雨季,也曾在此园宣说多数经义还曾经由此上忉利天为母说法九十日。

[4]般遮尸弃:神仙名。意译为"五顶""五髻"。

[5]宝铃:以珍宝装饰之铃。

[6]波罗奈国:古印度国名,在恒河流域,因此意译为"江绕国"。波罗奈国鹿野苑是佛陀初转法轮之处。

[7]结跏趺坐:即盘膝而坐,是最安稳的坐法。坐时互交二足,右脚盘放于左腿之上,左脚盘放于右腿之上。

[8]火光三昧:又称"火光定",出火之禅定。

[9]赫弈:光辉炫耀。"弈"通"奕"。

2.功德意供养塔生天缘

佛在王舍城迦兰陀竹林[1]。时频婆娑罗王[2],每日三时,将诸官属往诣佛所,礼觐世尊。于其后时,年渐老大,身体转重,不能日日故往礼拜。时诸宫人启白王言:"从佛世尊索于发爪,后宫之中造立塔寺,于此礼拜,香花灯明而供养之。"时王然可。往诣佛所启白,世尊即以发爪与频婆娑罗王,于其宫内造立塔寺,悬缯幡盖,香花灯明,日三时供养。

时王太子阿阇世[3]，共提婆达多[4]共为阴谋，杀害父王，自立为王。寻敕宫内：不听礼拜供养彼塔，有犯之者，罪在不请。于其后时，七月十五日，僧自恣[5]时，有一宫人字功德意，而自念言："此塔乃是大王所造，今者坌[6]污，无人扫洒，我今此身，分受刑戮，扫洒彼塔，香花灯明而供养之。"作是念已，寻即然灯，供养彼塔。

　　时阿阇世王，遥在楼上见彼灯明，即大瞋恚[7]，寻即遣人往看是谁。见功德意然[8]灯供养，使者还来，以状白王。王敕唤来，问其所由，时功德意即答王曰："今此塔者，先王所造供养之处，以此良日，扫除清净，燃灯供养。"

　　时阿阇世闻是语已，告功德意："汝不闻我先所约敕？"功德意言："闻王所敕，然王今者，其所治化，不胜先王。"时阿阇世闻是语已，倍增瞋恚，即以剑斩杀功德意。乘此善心，即便命终，生忉利天，身光照曜，满一由旬[9]。

　　时天帝释及诸天等咸来观看，而问之言："汝造何福，得来生此，光明殊特，倍胜诸天？"尔时天子即以偈颂答帝释曰："如来出于世，如日月光明。照彼诸黑闇，皆悉普使明。见者生欢喜，心垢自然除。善哉无上尊，众生良福田。信心修福德，我不惜身命。被害致命终，得生于天上。"

　　尔时天子向于帝释说此偈已，顶戴天冠，着诸璎珞，庄严其身，将诸天众各赍香花，下供养佛，光明普曜照于竹林，倍逾于常。前礼佛足，却坐一面，佛即为其说四谛[10]法，心开意解，得须陀洹果，即作是言："自念我昔，积于白骨，过于须弥，啼泣雨泪，多于巨海，干竭血肉，徒丧身命，今以得离。"作是语已，绕佛三匝，还于天宫。

时诸比丘于其晨朝白世尊言："昨夜光明,殊倍于常,为是帝释梵天四天王乎? 二十八部鬼神大将耶?"佛告诸比丘:"亦非梵天鬼神大将,乃是频婆娑罗王后宫婇女,名功德意,供养塔故,为阿阇世王被害,命终生忉利天,来供养我,是彼光耳。"

佛说是功德意缘时,有得须陀洹者、斯陀含者、阿那含者、阿罗汉[11]者,有发辟支佛[12]心者,有发无上菩提心者。

尔时诸比丘,闻佛所说,欢喜奉行。(《**撰集百缘经**》卷六《**诸天来下供养品第六**》)

【注释】

[1]迦兰陀竹林:位于中印度摩揭陀国王舍城北。"迦兰陀"之名有三种说法,一说是鸟名,一说是鼠名,一说是王舍城一长者名。迦兰陀竹林可能是迦兰陀鸟栖息的竹林。另据《大唐西域记》卷九记载,此竹林本为迦兰陀长者所有,长者本信奉外道,将竹林奉予尼犍外道,后闻佛说法,乃改奉为僧园。

[2]频婆娑罗王:佛在世摩揭陀国王之名,与王后韦提希夫人均深信佛法并皈依释尊。

[3]阿阇世:佛在世时中印度摩揭陀国频婆娑罗王之子。在母胎时,占师预言此子降生后将弑父,频婆娑罗王十分惊恐,遂自楼上将之投弃,但阿阇世仅折断手指而未死。后被立为太子,听信提婆达多唆使,将父王幽禁致死。即位后吞并邻近诸小国,为印度统一奠定基础。后因弑父之罪而遍体生疮,至佛前忏悔即平愈,遂皈依佛陀。佛陀灭度后,为佛教教团之大护法。

[4]提婆达多:见《佛说九色鹿经》"调达"注释。

[5]自恣:自我放纵。

[6]坌(bèn):积聚。

[7]瞋(chēn)恚(huì):忿怒怨恨。瞋,睁大眼睛瞪人。恚,恨、怒的意思。

[8]然:通"燃",点燃。

[9]一由旬:由旬是梵语 yojana 的音译,意译为限量、一程等。由旬是印度的距离单位,一由旬是帝王一日的行军里程,依地形险易程度而分大、中、小,若换算为中国里程,有四十里、三十里、十六里,或八十里、六十里、四十里等不同说法。

[10]四谛:即苦、集、灭、道,也称"四圣谛""四真谛",是圣者所见的四种真理。四谛说是佛教基本教义,是佛教大小乘各宗共修、必修之法。苦谛是三界六趣之苦报;集谛为贪嗔等烦恼,及善恶之诸业也;灭谛即是涅槃,涅槃灭惑业而离生死之苦,真空寂灭,故名灭;道谛为八正道,此能通于涅槃,故名道。

[11]须陀洹者、斯陀含者、阿那含者、阿罗汉:声闻乘的四种果位。一须陀洹果,又称"初果",即断尽"见惑"之圣者所得之果位;二斯陀含果,意译"一来",谓修行者于欲界九品思惑中断前六品尽,后三品犹在,须更来欲界一番受生;三阿那含果,意译为"不来",即已断尽欲界九品之惑,不再还来欲界受生;四阿罗汉果,意译作杀贼、不生等,指断尽三界见、思之惑,证得尽智,一般作狭义解释为小乘佛教中所得之最高果位,若广义言之,则泛指大、小乘佛教中之最高果位。

[12]辟支佛:梵语 pratyeka-buddha 音译,意译为缘觉、独觉,指无师而自觉自悟之圣者。

3.二梵志共受斋缘

佛在舍卫国祇树给孤独园。于其初夜,有五百天子顶戴天冠,着诸璎珞,庄严其身,赍持香花,光明赫奕,照祇洹林,来诣佛所。前礼佛足,供养讫已,却坐一面,听佛说法,心开意解,得须陀洹果。绕佛三匝,还诣天宫。

于其晨朝,尔时阿难白佛言:"世尊,昨夜光明照曜[1]祇桓,倍逾于常,为是释梵四天大王[2]、二十八部鬼神大将[3]来听法耶?"佛告阿难:"亦非释梵诸神王等来听法也。乃是过去迦叶佛时,有二婆罗门,随从国王来诣佛所,礼拜问讯。时彼从中有一优婆塞[4],劝二婆罗门言:'汝等今者随从王来,见佛世尊,因可受斋[5]。'婆罗门言:'受此斋法,有何利益?'优婆塞言:'受此斋法,随意所求,必得如愿。'

时婆罗门闻是语已,即共受斋,一求生天,二求人王。受斋已竟,俱共还归。诸婆罗门聚会之处,诸婆罗门言:'汝等饥渴,可共饮食。'受斋者言:'我受佛斋,过时不食。'诸婆罗门言:'我等自有婆罗门法,何须受彼沙门斋耶?'如是殷勤,数数劝请,不勉其意,求生天者即便饮食,以破斋故,不果所愿,其后命终,生于龙中。第二人者,终不饮食,以持斋戒故,果其所愿得作国王。以其先身共受斋故,生彼国王园池水中。

时守园人,日日常送种种果蓏[6]奉上献王。卒于一日,园池水中得一美果,色香甚好,作是念言:'我虽出入,常为门监所见前却,我持此果,当用与之。'作是念已,寻即持与门监,门监得已,复作是念:'我虽出入,复为黄门[7]所见前却,当用与之。'

作是念已，寻即持与黄门。黄门得已，复作是念："夫人为我，常向大王叹誉我德，我持此果，当用与之。"作是念已，即便持与夫人。夫人得已，复上大王。王得果已，即便食之，觉甚香美，即问夫人："汝今何处得是果来？"夫人即时如实对曰："我从黄门得是果也。"复问黄门："汝从何处得是果来？"如是展转推到园子。王即召呼："吾园之中有是美果，何不见送，乃与他人？"园子于是本末自陈，王不听言，而告之曰："自今以后，常送此果，若不尔者，吾当杀汝。"

园子还归，入其园中，号啕啼泣，不能自制。此果无种，何由可得？时彼龙王闻是哭声，化作人形，来问之言："汝今何以啼哭乃尔？"园子对曰："我于昨日此园池中得一美果，持与门监，门监得已，复与黄门，黄门得已，复与夫人，夫人得已，复上与王。今见约敕，自今已后，仰送此果，若不尔者，当见刑戮。今此园中无此果种，是以啼哭。"

于时化人闻是语已，还入水中，取好美果，着金盘上，持与园子，因复告言："汝持此果奉上献王，并说吾意云：我及王，昔佛在世，本是亲友，俱作梵志，共受八斋[8]，各求所愿。汝戒完具，得作国王。吾戒不全，生在龙中。我今还欲奉修斋法，求舍此身。愿语汝王，为我求索八关斋法，送来与我，若其相违，吾覆汝国，用作大海。"

园子于时纳受果盘，奉献王已，因复说龙所嘱之语。王闻是已，甚用不乐。所以然者，当尔之时，乃至无有佛法之名，况复八关斋文。叵[9]复得耶，若其不获，恐见危害，思念此理，无由可办。时彼国王有一大臣，最所敬重，而告之言："龙神从我求索八关斋文，仰[10]卿得之，当用持与。"大臣答曰："今世无法，

云何可得？'王复告言：'汝若不获见送与者，吾必杀卿。'

大臣闻已，却退至家，颜色异常，甚用愁恼。时臣有父，年在耆旧[11]，每从外来，见子颜色改易异常，寻即问言：'汝有何事，颜色乃尔？'于时大臣即向父说委曲情理。父答子曰：'吾家堂柱，我见有光，汝为施伐[12]，试破共看，傥[13]有异物。'于是大臣随其父教，寻为施伐，取破看之，得经二卷，一是《十二因缘》[14]，二是《八关斋文》[15]。大臣得已，甚用欢喜，着金案上奉献与王。王得之已，喜不自胜，送与龙王。龙王得已，甚用欢庆，赍持珍宝赠遗与王。各还所止，共五百龙子，勤加奉修八关斋法。其后命终，生忉利天，来供养我，是彼光耳。"

佛告阿难："欲知彼时五百龙子奉修斋法者，今五百天子是。"佛说是缘时，有得须陀洹者、斯陀含者、阿那含者、阿罗汉者，有发辟支佛心者，有发无上菩提心者。

尔时诸比丘，闻佛所说，欢喜奉行。(《撰集百缘经》卷六《诸天来下供养品第六》)

【注释】

[1]照曜：照耀。

[2]释梵四天大王：即居于须弥山护持正法的四位天王，分别是东方持国天王、南方增长天王、西方广目天王、北方多闻天王。

[3]二十八部鬼神大将：即二十八部众，是千手观音在弘法上的二十八部眷属，也是拥护观音法门修持者的良善鬼神众。

[4]优婆塞：梵文 upāsaka，指在家信佛、行佛道并受了三皈依的男子叫作优婆塞，曾译作邬波索迦、乌婆塞、伊蒲塞等。意

译清信士、近事男、近善男、善宿男等。受了三皈依及五戒并戒行圆满的人,称为满分优婆塞。严格地讲,优婆塞应该以《优婆塞戒经》为行动准则。

[5]受斋:受斋食,指皈依佛教。

[6]果蓏(luǒ):瓜果的总称。

[7]黄门:太监。

[8]八斋:即"八关斋戒"。佛陀为在家弟子制定的暂时出家所行之戒律,包括:不杀生、不盗、不淫、不妄语、不饮酒、不以华鬘装饰自身及不歌舞观听、不坐卧高广华丽床座、不非时食。八戒中前七支为戒,后一支不非时食为斋。受八关斋戒者要离家赴僧团居住一天一夜。

[9]叵:不可。

[10]仰:依赖,仰仗。

[11]耆旧:年高望重者。

[12]施伐:砍开。

[13]傥:同"倘",如果。

[14]《十二因缘》:指《十二因缘经》,又作"树下思十二因缘经""闻城十二因缘经"等,是关于十二因缘和八正道的佛教经典。此经收于大正藏第十六册,三国吴支谦译。

[15]《八关斋文》:《八关斋经》,详细阐述八关斋法及其缘由,收于大正藏第一册,南朝宋沮渠京声译。

4.差摩比丘尼生时二王和解缘

佛在舍卫国祇树给孤独园。尔时波斯匿王及梵摩达王常共忿诤,各将兵众,象兵马兵,车兵步兵,住河两岸,各立标相。夫人月满,各生男女,端正殊妙。王大欢喜,击鼓唱令,集诸兵众,赏赐财物,等同欢喜,求相和解,共为婚姻:"今我二国,从今已去,更莫相犯,乃至子孙。"作是要已,各还本国。

时梵摩王子年始七岁,赍持珍宝,种种杂物,送与波斯匿王,求欲纳娶。时女闻已,白父王言:"人身难得,我今已得;诸根[1]难具,我今已具;信心难生,我今信心已生;佛世难值,我今得值。唯愿大王,莫置女身在诸难中,令女永离诸善知识。唯愿慈愍,听[2]我出家。"

王答女言:"汝在胎时,吾以许彼,由汝之故,二国和解,不相侵陵。吾今若当不称彼者,则负言信,彼必当还与我作仇,诸天嫌我,不加拥护,大臣人民都不见信,亦违先王宿旧法制。汝颇曾闻阿阇世王[3]、波璅利王,如是等比数十诸王,皆由妄语堕地狱中。汝今云何欲令使我同彼诸王受地狱苦而作妄语?汝今不宜请辞于我。"

时波斯匿王作是语已,即便遣使语梵摩达王:"七日之内速来纳娶。"使者奉教,速往到彼,语梵摩王:"七日之内,我当成婚。"

尔时王女闻王遣使催唤彼王,心怀忧恼,着垢腻衣,舍诸璎珞,毁悴其形,即上高楼,长跪合掌,遥向祇洹,而作是言:"如来世尊慈悲怜愍一切众生,一念之中能知三世。我今苦厄,愿垂哀愍而见救济。"尔时世尊遥知王女精诚求哀,求索救济,恍惚之间即现女前,种种说法,心开意解,得阿那含果[4]。

至七日头,梵摩王子将诸侍从数千万人,赍其珍宝、种种服饰,欲来娶妇。至其宫中欲共妻娶,不觉女身在虚空中作十八变,东涌西没,南涌北没,行住坐卧,变化自在,还从空下。

时波斯匿王见女如是,深生惶怖,而语女言:"我今愚冥,都不知汝有是神变,而以污秽尘染于汝,忏悔罪咎,听汝出家。"其夫王子亦生信敬,而作是言:"我亦愚痴,无所识别,作如是意。愿亦听我忏悔其罪,听汝出家。"尔时王女闻是语已,寻诣祇洹,见佛世尊,求索出家,佛即听许作比丘尼,精勤修习,得阿罗汉果。

时诸比丘见是事已,白佛言:"世尊,今此差摩比丘尼宿植何福,生在王家,无有欲想,出家得道?"尔时世尊告诸比丘:"汝等谛听,吾当为汝分别解说。此贤劫[5]中,波罗奈国有佛出世,号曰迦叶。于其法中有一妇女,与其夫主心不相喜,常共忿诤。每于一日,各相劝勉,诣比丘所,受八关斋,因共求愿:使我等辈,在所生处尊荣豪贵,于斗诤中常共和解。发是愿已,随寿长短,各取命终,共生王家。"

佛告诸比丘:"欲知彼时,夫主公者今梵摩王是,彼时妇公者今波斯匿王是彼时夫主者今王子是,彼时妇者今王女是。"

尔时诸比丘,闻佛所说,欢喜奉行。(《撰集百缘经》卷八《比丘尼品第八》)

【注释】

[1]诸根:指信、勤、念、定、慧五根,亦泛指一切善根。

[2]听:任凭,随。

[3]阿阇世王:在世时中印度摩揭陀国频婆娑罗王之子,详见《撰集百缘经·功德意供养塔生天缘》注释。

[4]阿那含果:声闻四果中的第三果,意译为"不来",即已

断尽欲界九品之惑，不再还来欲界受生。

[5]贤劫：佛教将过去、现在、未来三世的大劫统称为"三劫"，其中过去的大劫为庄严劫，未来的大劫为星宿劫，现在的大劫为贤劫。因在现在劫中有一千尊佛出世，故称为贤劫或善劫。

5.长爪梵志[1]缘

佛在王舍城迦兰陀竹林。时彼城中有一梵志，名曰蛭驶。有其二子，男名长爪，女字舍利。其男长爪，聪明博达，善能论议，常共其姊舍利，凡所论说，每常胜姊。姊既妊身，共弟议论，弟又不如。时弟长爪而作是言："我姊先来共我论议，常不如我，怀妊以来论议殊胜，乃是胎子福德之力。若子生已，论必胜我，我今当宜，游方广学，四韦陀典[2]，十八种术，然后还国，与外甥论。"作是念已，诣南天竺，习学诸论，若未通利[3]为第一师，誓不剪爪。于是其姊，日月满足，产一男儿，因母立名，字曰舍利弗[4]。端正殊特，聪明黠慧，博达诸论，难可酬对。

时王舍城中，诸梵志等击大金鼓，招集国人。十八亿众，会乎论场，敷[5]四高座。时舍利弗年始八岁，会乎论场，问诸人言："敷四高座，为欲待谁？"诸人答言："一为国王，二为太子，三为大臣，四为论士。"时舍利弗闻是语已，辄升论士高座而坐其上，时诸宿德耆旧梵志，一切时众，无不惊怪，作是念言："我诸论士，共彼小儿论议得胜，不足为荣；其若不胜，大可耻愧。"作是念已，即遣下座小婆罗门共舍利弗论。粗相答问，时婆罗门等辞穷理屈，渐次相推，遂至上座。共其论议，不过数返，尽皆不如。时舍利弗论议既胜，名闻远著于十六大国，智慧博通，独出无侣。后于一时，于王舍城升高楼上，四顾视瞻，见城内人民节庆聚会，便自思惟："斯等蠢蠢[6]百年之后，廓然[7]归无。"作是念已，即下高楼，外道法中，出家求道。

尔时世尊初始成佛，时十六大国都未闻知。如来大慈，欲教化故，遣阿鞞比丘[8]诣王舍城，分卫乞食。时舍利弗见其威仪庠序可观，作是念言："斯是何人，福德乃尔，我从先来，未见此比丘。"作是念已，即前问曰："汝事何师？法则乃尔。"时阿鞞比丘说偈答曰："吾师天中天，三界无极尊。相好身丈六，神通游虚空。"

时阿鞞比丘说是偈已，默然而住。时舍利弗语阿鞞言："汝师容貌神通，我久已闻，为悟何道，得如是乎？"时阿鞞比丘复以偈答："化熏去五阴[9]，拔断十二根。不贪天世乐，心净开法门。"

时舍利弗复问阿鞞比丘言："汝师所说，为经几时，习学何法？"阿鞞比丘复以偈答："我年既幼稚，学日又初浅。岂能宣正真，如来广大义。"

时舍利弗复语阿鞞言："汝师所说，幸见告示。"尔时阿鞞复以偈答："一切诸法中，因缘生无主。息心达本原，故号为沙门。"

时舍利弗闻此偈已，心即开悟，得须陀洹果。尔时目连见舍利弗颜色怡悦，而问之言："我昔与汝先有要誓，若有先得甘露法味。要当相语。我今观汝似有所得，颜色怡悦。"时舍利弗即以上偈，为其目连三遍说之。目连闻已，心开意解，得须陀洹果。

时舍利、弗目连各获道迹，心怀欢喜，还自徒众，具以上事而向说之："我今欲诣求佛出家，汝等云何？"时诸弟子各白师言："大师今者若当习学瞿昙所说，我弟子等亦当随从。"时舍利弗、目连闻是语已，将诸弟子各二百五十人，随阿鞞比丘诣于竹林。见佛世尊，三十二相，八十种好，光明普曜如百千日，心怀欢喜，前礼佛足，求索出家，佛即听许。善来比丘，须发自落，法服着身，便成沙门。精勤修习，得阿罗汉果，三明六通[10]，具八解脱[11]，诸天世人之所敬仰。

尔时，长爪梵志闻舍利弗出家入道，嗔恚懊恼，而作是言："我此外甥舍利弗，禀性聪慧，博通群籍，十六大国，宿旧论师，咸服其德，如何忽然舍此高名，奉事瞿昙？"即从南天竺来诣佛所，与佛论议，尔时世尊告梵志曰："汝今所见，非是究竟涅槃之道。"时彼梵志闻是语已，默然不答。如是三问，亦复默然。时金刚密迹[12]，于虚空中以金刚杵拟梵志顶："汝若不答，我以此杵碎破汝身。"尔时梵志，心怀惶怖，流汗投地，无所归趣，即自引负，寄颜无所。便于佛前，心怀敬伏，求索出家，为佛弟子，佛即听许。善来比丘，须发自落，法服着身，便成沙门。精勤修道，得阿罗汉果。

时诸比丘见是事已，白佛言："世尊，今此梵志比丘，宿植何福？舍邪就正，值佛世尊，出家得道。"尔时世尊告诸比丘："汝等谛听，吾当为汝分别解说。乃往过去无量世时，波罗奈国有辟支佛，在于山林坐禅思惟。时有五百群贼，劫掠他物，将欲入彼山林树间。时其贼帅，先遣一人，往看林中无有人不。见辟支佛在一树下端坐思惟，即前牵捉，系缚将来。到贼帅边，欲共杀之。时辟支佛作是念言：'我若默然，为彼所杀，增其罪业，坠堕地狱，无由出期。我今当为现于神变，令彼信伏。'作是念已，身升虚空，东涌西没，南涌北没，身出水火，或现大身，满虚空中，而复现小。如是展转，作十八变。尔时群贼见是变已，甚怀惶怖，即便各各五体投地，归诚忏悔。时辟支佛受其忏已，设诸肴膳，请辟支佛，发愿而去。缘是功德，无量世中不堕地狱畜生饿鬼，天上人中，受大快乐，乃至今者，遭值于我，出家得道。"佛告诸比丘："欲知彼时贼帅人者，今长爪梵志比丘是。"

　　尔时诸比丘，闻佛所说，欢喜奉行。(《撰集百缘经》卷十《诸缘品第十》)

【注释】

　　[1]长爪梵志：佛陀弟子之一，因指甲特长，故有"长爪梵志"之名。早年出游四方，誓言不为第一师则不剪爪。外甥舍利弗出家后，长爪亦来佛所与佛陀论辩，不能胜佛陀，遂出家为佛弟子，证得阿罗汉果。

　　[2]四韦陀典：指婆罗门教的经典《梨俱吠陀》《娑摩吠陀》《夜珠吠陀》《阿阇婆吠陀》四种吠陀，主要文体是赞美诗、祈祷文和咒语，为印度宗教、哲学及文学的基础。

　　[3]通利：通达无碍。

　　[4]舍利弗：佛陀十大弟子之一，智慧第一。

　　[5]敷：布置。

　　[6]蠢蠢：形容无知。

　　[7]廓然：空寂孤独貌。

　　[8]阿鞞比丘：最早随佛陀出家的五比丘之一，其名在不同佛经中翻译不同，又作马胜比丘、阿湿婆、颇鞞等。

[9]五阴：即色、受、想、行、识，亦称"五蕴"，构成众生的五个要素。即以此五阴名为人、我、众生。这里用五人比喻五阴，一婢比喻众生。人的一生都要受到五阴的鞭笞困扰，只有修佛才能得到解脱。

[10]三明六通：三明为宿住智证明、死生智证明、漏尽智证明。六通包括神足通、天眼通、天耳通、他心通、宿命通、漏尽通。三明相当于六通中的宿命通、天眼通、漏尽通。三明与六通是佛与阿罗汉所具备的神通力。

[11]八解脱：依八种定力而断尽对色与无色的贪欲，又作八背舍、八惟无、八惟务。

[12]金刚密迹：又称密迹金刚、金刚力士、金刚手等，是执金刚杵现大威势拥护佛法的天神之通称。"密迹"是指金刚力士侍佛而知佛秘要密迹之事。

《生经》[1]

[西晋]竺法护[2] 译

1.我所鸟

乃往过去无数世时，有大香山，生无央数荜[3]拨诸药及胡椒树。荜拨树上，时有一鸟，名曰我所，止顿其中。假使春月药果熟时，人皆采取，服食疗疾，时我所鸟呼唤悲鸣："此果我所，汝等勿取！我心不欲令人采之！"

虽叫唤呼，众人续取，不听其声。彼鸟薄福，愁忧叫呼声部休绝，缘是命过。[4]（《生经》卷一《佛说是我所经第五》）

【注释】

[1]《生经》：佛教本生经，西晋僧人竺法护译，共五卷。主要是讲述佛及其弟子们的种种本生故事。所谓本生就是指佛的前生。在这些故事中，佛有不同的身份，故事中的其他重要人物多是佛的弟子、信徒、亲属等，故事中的反面形象是佛的敌人。故事多源自古代印度流传的寓言、传说和故事，民间文学被佛教徒改造后收入了佛经，受到人民的欢迎，佛教的壁画常以本生故事为题材。

[2]竺法护：西晋译经僧。祖先为月支人，世居敦煌。八岁出家，师事竺高座，遂以竺为姓。性纯良而好学，每日诵经数万

言，并博览六经，涉猎百家。其时，关内京邑虽礼拜寺庙、图像，然诸大乘经典未备，师乃立志西行，遍通西域三十六国语文。

[3]荜(bì)：同"筚"。

[4]佛家修行中的庸人，为人生中的无意义琐事困扰，如同我所鸟悲怆于果实被采摘，却无人理睬。

2.木人

时第二工巧者[1]，转行至他国。应时国王喜诸技术。即以材木作机关木人。形貌端正，生人无异，衣服颜色，黠慧无比，能工歌舞，举动如人。辞言："我子生若干年。"国中恭敬，多所馈遗。国王闻之，命使作技。王及夫人升阁而观。作伎歌舞，若干方便，跪拜进止，胜于生人。王及夫人欢喜无量。便角瞵[2]眼，色视夫人。王遥见之，心怀忿怒，促敕侍者，斩其头来："何以眨眼视吾夫人？"谓有恶意色视不疑。

其父啼泣，泪出五行，长跪请命："吾有一子，甚重爱之。坐起进退，以解忧思。愚意不及，有是失耳。假使杀者，我共当死。唯以加哀，原其罪衅[3]！"

时王恚甚，不肯听之。复白王言："若不活者，愿自手杀，勿使余人。"

王便可之。则拔一肩楔[4]，机关解落，碎散在地。王乃惊愕："吾身云何瞋于材木？"

此人工巧，天下无双。作此机关，三百六十节，胜于生人。即以赏赐亿万两金。即持金出，与诸兄弟，令饮食之。

以偈颂曰："观此工巧者，多所而成就。机关为木人，过逾于生者。歌舞现伎乐,令尊者欢喜。得赏若干宝,谁为最第一。"

(《生经》卷三《佛说国王五人经第二十四》)

【注释】

[1]第二工巧者:本经原来分别讲了五个兄弟的故事,这里节选了第二个兄弟的故事。

[2]瞻(xī):看。

[3]罪衅(xìn):罪恶。

[4]楺:通"楔"。

3.如意珠

闻如是:一时佛在王舍城灵鹫山[1],与大比丘众五百人俱。一切大圣,神通[2]已达。时诸比丘于讲堂上坐,共议言:"我等世尊从无数劫[3]精进不懈,不拘生死五道之患[4],欲得佛道救济一切,用精进故,超越九劫,自致无上正真之道,为最正觉,吾为蒙度,以为桥梁。"

时佛遥闻比丘所议,起到讲堂,问之何论。

比丘白曰:"我等共议世尊功德巍巍无量,从累劫来,精进无厌,不避诸难,勤苦求道,欲济一切,不中堕落,自致得佛,我等蒙度。"

佛告诸比丘:"实如所言,诚无有异。吾从无数劫以来,精进求道,初无懈怠,愍伤众生,欲度脱之,用精进故,自致得佛,超越九劫,出弥勒[5]前。"

"我念过去无数劫时,见国中人,多有贫穷,愍伤怜之,以何方便而令丰饶，念当入海获如意珠[6]，乃有所救。扠[7]鼓摇铃，谁欲入海采求珍宝，众人大会。临当上船，更作教令，欲舍父母，不惜妻子，投身没命，当共入海。所以者何？海有三难：一者大鱼长二万八千里；二者鬼、神、罗刹欲翻其船；三者抍[8]山，故作此令，得无怨。适更令已，众人皆悔。时五百人心独坚固，便望风举帆，乘船入海，诣海龙王，从求头上如意之珠。龙王见之，用一切故，勤劳入海，欲济穷士，即以珠与。时诸贾客，各各采宝，悉皆具足，乘船来还。

海中诸龙及诸鬼神悉共议言：此如意珠，海中正宝，非世俗人所当获者，云何损海益阎浮利提[9]？诚可惜之，当作方便，还夺其珠，不可失之至于人间。

时龙鬼神，昼夜围绕若干之匝，欲夺其珠。导师德尊，威神巍巍，诸鬼、神、龙，虽欲翻船夺如意珠，力所不任。于时导师及五百人安隐渡海，菩萨踊跃，住于海边，低头下手，咒愿海神，珠系在颈。时海龙神，因缘得便，使珠堕海，导师感激[10]，吾行入海，乘船涉难，动苦无量，乃得此宝，当救众乏，于今海神反令堕海。勅边侍人，捉持器来，吾抒[11]海水至于底泥。不得珠者终不休懈。即器弈水，以精进力，不避苦难，不惜寿命，水自然趣减，悉入器中。诸海龙、神见之如是，心即怀惧，此人威势精进之力，诚非世有，若今弈水，不久竭海。即持珠来，辞谢还之："吾等聊试，不图精进力势如是，天上天下，无能胜君导师者。获宝赍[12]还国中，观宝求愿，使雨七宝，以供天下，莫不安隐。"

"尔时导师则是我身，五百贾客诸弟子者是。我所将导师行精进行，入于大海，还得珠宝，救诸贫穷。于今得佛，竭生死海，智慧无量，救济群生，莫不得度。"佛说如是，莫不欢喜。

(《生经》卷一《佛说堕珠著海中经第八》)

【注释】

[1]灵鹫山：梵语 Grdhrakuta，音译"耆阇崛"，意译为鹫头、鹫峰、灵鹫等。位于古代中印度、摩诃陀国首都王舍城东北方，因山顶似鹫头，故有此名，是佛陀说法之地。

[2]神通：梵语 abhijna，意译为神通力、神力、通力、通等。即依修禅定而得的无碍自在、超人间的、不可思议之作用。共有神足、天眼、天耳、他心、宿命等五神通（五通、五旬、般遮旬），加漏尽通，共为六神通（六通）。此外，又特指神足通为神通。

[3]劫：梵语 kalpa，时间单位，佛教对于"时间"之观念，以劫为基础，来说明世界生成与毁灭之过程。古印度以宇宙生灭一次为一劫。

[4]五道之患：指五种迷惑与苦恼之境，即地狱道、饿鬼道、畜生道、人道、天道。亦称"五趣"。

[5]弥勒：梵名 Maitreya。弥勒出生于婆罗门家庭，后为佛弟子，先佛入灭，以菩萨身为天人说法，住于兜率天。据传此菩萨欲成熟诸众生，由初发心即不食肉，以此因缘而名为慈氏。

[6]如意珠：从宝珠出种种所求如意，故名如意。出自龙王或摩竭鱼之脑中。或为佛舍利所变成。

[7]挝(zhuā)：打，敲打。

[8]抧(chéng)：触，撞。

[9]阎浮利提：即"阎浮提"，南阎浮洲，阎浮提原本系指印度之地，后则泛指人间世界。

[10]感激：激动。

102

4.鳖与猴

乃往过去无数劫时，有一猕猴王，处在林树，食果饮水，慜[1]念一切蚑行喘息、人物之类，皆欲令度使至无为。时与一鳖以为知友，亲亲相敬初不相忤。鳖数往来，到猕猴所，饮食言谈，说正义理。其妇见之数出不在，谓之于外淫荡不节。即问夫婿："卿数出为何所至凑，将无于外放逸无道？"其夫答曰："吾与猕猴，结为亲友，聪明智慧，又晓义理，出辄往造，共论经法，但说快事，无他放逸。"其妇不信，谓为不然。又瞋："猕猴诱诖[2]我夫，数令出入。当图杀之，吾夫乃休。"因便佯病，困劣着床。其婿瞻劳，医药疗治竟不肯差，谓其夫言："何须劳意损其医药？吾病甚重，当得卿所亲亲猕猴之肝，吾乃活耳！"其夫答曰："是吾亲友，寄身托命，终不相疑，云何相图用以活卿耶？"其妇答曰："今为夫妇，同共一体，不念相济，反为猕猴，诚非谊理？"其夫逼妇，又敬重之。往请猕猴："吾数往来，到君所顿，仁不枉屈诣我家门，今欲相请到舍小食。"猕猴答曰："吾处陆地，卿在水中，安得相从？"其鳖答曰："吾当负卿，亦可任仪。"猕猴便从，负至中道。谓猕猴言："仁欲知不，所以相请，吾妇病困欲得仁肝服食除病。"猕猴报曰："卿何以故，不早相语？吾肝挂树不赍持来。"促还取肝，乃相从耳，便还树上，跳踉欢喜。时鳖问曰："卿当赍肝来到我家，反更上树，跳踉踊跃，为何所施？"猕猴答曰："天下至愚，无过于卿！何所有肝而挂在树？共为亲友，寄身托命,而还相图,欲危我命,从今已往,各自别行。"

佛告比丘:"尔时鳖妇,则暴志是;鳖者,则调达是;猕猴王者,则我身是。"佛说如是,莫不欢喜。(《生经》卷一《佛说鳖猕猴经第十》)

【注释】

[1]愍(mǐn):同"愍",哀怜。

[2]诱(xù):引诱,诱惑。

5.狡猾的外甥

姊弟二人。姊有一子,与舅俱给官御府,织金缕、锦绫、罗縠[1]珍好异衣。见帑[2]藏中琦宝好物,贪意为动。即共议言:"吾织作勤苦不懈,知诸藏物好丑多少,宁可共取,用解贫乏乎!"夜入定后,凿作地窟,盗取官物,不可赀数。明监藏者,觉物减少,以启白王。王诏之曰:"勿广宣之,令外人知。"

舅甥盗者,谓王多事,不能觉察,至于后日,遂当慴伏[3],必复重来。且严警守,以用待之。得者收捉,无令放逸。藏监受诏,即加守备。其人久久,则重来盗。外甥教舅:"舅年尊,体羸力少,若为守者所得,不能自脱。更从地窟,却行而入。如令见得,我力强盛,当济免舅。"舅适入窟,为守者所执,执者唤呼,诸守人捉。甥不制,畏明日识,辄截舅头,出窟持归。

晨晓藏监,具此启闻。王又诏曰:"舆出其尸,置四交路。其有对哭,取死尸者,则是贼魁。"弃之四衢,警守积日。于时远方,有大贾来,人马车驰,填噎塞路,奔突猥逼。其人射闹,载两车薪,置其尸上。

守者明朝,具以启王。王诏:"微伺,伺不周密。若有烧者,收缚送来。"于是外甥,将教僮竖,执炬舞戏,人众总闹,以火投薪,薪燃炽盛。守者不觉,具以启王。王又诏曰:"若已蛇维[4],更增守者,严伺其骨。来取骨者,则是原首。"

甥又觉之,兼猥酿酒,特令醇厚。诣守备者,微而酤之。守者连昔[5]饥渴,见酒众共酤饮,饮酒过多,皆共醉寐。俘囚酒瓶,受骨而去。守者不觉,明复启王。王又诏曰:"前后警守,竟不级获。斯贼狡黠,更当设谋。"

王即出女,庄严璎珞,珠玑宝饰。安立房屋,于大水旁,众人侍卫,伺察非妄,必有利色,来趣女者。素教诫女,得逆抱捉,唤令众人,则可收执。

他日异夜,甥寻窃来,因水放株,令顺流下,唱叫奔急。守者惊趣,谓其异人,但是株杌。如是连昔,数数不变,守者玩习,睡眠不惊。甥即乘株,到女室。女则执衣。甥告女曰:"用为牵衣?可捉我臂。"甥素凶黠,豫持死人臂,以用授女。女即放衣,转捉死臂,而大称叫,迟守者寤。甥得脱走。明具启王,王又诏曰:"此人方便,独一无双,久捕不得,当奈之何!"

女即怀妊,十月生男,男大端正。使乳母抱行,周遍国中,有人见与鸣嗽[6]者,便缚送来。抱儿终日,无鸣嗽者。甥为饼师,住饼炉下。小儿饥啼,乳母抱儿,趣饼炉下,市饼铺儿。甥既见儿,即以饼与,因而鸣之。乳母还白王曰:"儿行终日,无来近者,饥过饼炉,时卖饼者,授饼乃鸣。"王又诏曰:"何不缚送?"乳母答曰:"小儿饥啼,饼师授饼,因而鸣之,不意是贼,何因因之?"

王使乳母，更抱儿出，及诸伺候，见近儿者，便缚将来，甥沽美酒，呼请乳母，及微伺者，就于酒家劝酒，大醉眠卧，便盗儿去。醒悟失儿，具以启王。王又诏曰："卿等顽骏[7]，贪嗜狂水，既不得贼，复亡失儿。"甥时得儿，抱至他国，前见国王，占谢答对，因经说谊。王大欢喜，辄赐禄位，以为大臣，而谓之曰："吾之一国，智慧方便，无逮卿者。欲以臣女，若吾之女，当以相配，自恣所欲。"对曰："不敢！若王见哀，其实欲索某国王女。"王曰："善哉！"从所志愿。王即有名，自以为子，遣使者往，往令求彼王女。王即可之；王心念言："续是盗魁，前后狡猾。"即遣使者："欲迎吾女，遣其太子，五百骑乘，皆使严整。"王即敕外，疾严车骑。甥为贼臣，即怀恐惧，心自念言："若到彼国，王必被觉，见执不疑。"便启其王："若王见遣，当令人马五百骑，具衣服鞍勒，一无差异，乃可迎妇。"王然其言，即往迎妇。王令女饮食待客，善相娱乐。二百五十骑在前，二百五十骑在后，甥在其中，跨马不下。女父自出，屡观察之。王入骑中，躬执甥出。"尔为是非，前后方便，捕何匦[8]得。"稽首[9]答曰："实尔是也。"王曰："卿之聪哲，天下无双，随卿所愿。"以女配之，得为夫妇。

　　佛告诸比丘："欲知尔时甥者，则吾身是；女父王者，舍利弗是也；舅者，调达是也；女妇国王父输头檀是也；母摩耶是；妇瞿夷[10]是；子罗云[11]是也。"佛说是时，莫不欢喜。[12]（《生经》卷二《佛说舅甥经第十二》）

【注释】

[1]縠（hú）：质地轻薄纤细透亮、表面起绉的平纹丝织物。

[2]帑（tǎng）：古代指收藏钱财的府库或钱财。

[3]慑伏:亦作"慑服"。因畏惧而屈服。

[4]蛇维:常作"闍维"或"荼毗",火化的意思。

[5]连昔:即连夕,连续几夜。

[6]呜噈(wū cù):亲吻的意思。《杂譬喻经》第二十二则:"道士便抱其妇咽共呜,呜已,语婆罗门言:'此是欲味。'"或《大智度论》卷二六《释初品·释十八不共法》:"化作天身小儿,在阿闍世王抱中,王呜其口,与唾令噈。"和"噈"字连结一起,意义更显明。《说文·欠部》段注说"噈"是"会意兼形声"字,又引《广韵》:"歃噈、口相就也。"

[7]顽骇:愚钝呆滞。

[8]叵:不。

[9]稽首:为佛教礼法之一。即以头着地之礼。我国周礼所载之九拜中,稽首为最恭敬之行礼法。佛教之稽首,弯背曲躬,头面着地,以两掌伸向被礼拜者之双足,故又称为接足礼(接着对方之足)。此种以头额触地之礼拜,为印度之最高礼节。所谓接足作礼、头面礼足、五体投地等即指此而言。在佛教中,稽首与归命同义,若区别之,则稽首属身,归命属意。

[10]瞿夷:梵名 Gopî,Gopikâ 或 Gopâ,巴利名同。音译瞿卑、裘夷、瞿波、劬毗耶、瞿毗耶、乔比迦。意译牛护、密行、明女、守护地、覆障。为悉达太子之妃。关于其出身,各经所说不一。依修行本起经卷上载,裘夷为善觉王之女,容貌端正皎洁,天下无双;又据十二游经,瞿夷为舍夷之长者水光之女,其生时,日将没,余晖照其家,室内皆明,遂称为明女。

[11]罗云:梵名 Rahula,又译作"罗睺罗",佛之嫡子,佛陀成道后六年始还迦毗罗城,令罗侯罗出家受戒,以舍利弗为和

尚、目犍连为阿阇梨，此即佛教有沙弥之始。其为沙弥时，有种种不如法，受佛训诫，后严守制戒，精进修道，得阿罗汉果，在佛陀十大弟子中为密行第一。

[12]《生经》中这则故事对东西方文化皆产生过深远影响，充分表明人类文化的共通性及宗教、历史皆蕴含的文学性。参看钱锺书《七缀集·一节历史掌故、一个宗教寓言、一篇小说》。

《法句譬喻经》[1]

[西晋]法炬、法立[2] 译

1.莲华

昔佛在罗阅只耆阇崛山中。时城内有婬女人，名曰莲华，姿容端正国中无双，大臣子弟莫不寻敬。尔时莲华善心自生，欲弃世事作比丘尼，即诣山中就到佛所，未至中道有流泉水，莲华饮水澡手，自见面像，容色红辉，头发绀青[3]，形貌方正挺特无比，心自悔曰："人生于世形体如此，云何自弃行作沙门？且当顺时快我私情。"念已便还。佛知莲华应当化度，化作一妇人端正绝世，复胜莲华数千万倍，寻路逆来。莲华见之心甚爱敬，即问化人："从何所来？夫主儿子父兄中外皆在何许？云何独行而无将从？"化人答言："从城中来，欲还归家，虽不相识，宁可共还，到泉水上坐息共语不？"莲华言："善。"二人相将还到水上，陈意委曲。化人睡来枕莲华膝眠，须臾之顷忽然命绝，膖胀臭烂腹溃虫出，齿落发堕肢体解散，莲华见之心大惊怖，云："何好人忽便无常？此人尚尔我岂久存？故当诣佛精进学道。"即至佛所，五体投地，作礼已讫，具以所见向佛说之。佛告莲华："人有四事不可恃怙，何谓为四？一者少壮会当归老，二者强健会当归死，三者六亲聚欢娱乐会当别离，四者财宝积聚要当分散。"于是世尊即说偈言："老则色衰，所病自坏。形败腐朽,命终其然。是身何用?洹漏臭处。为病所困,有老死患。嗜欲自恣,非法是增。不见闻变,寿命无常。非有子恃,亦非父兄。为死所迫,无亲可怙。"

莲华闻法欣然解释,观身如化命不久停,唯有道德泥洹永安,即前白佛愿为比丘尼。佛言:"善哉!"头发自堕,即成比丘尼,思惟止观即得罗汉。诸在坐者闻佛所说,莫不欢喜。(《**法句譬喻经**》卷一《**无常品第一**》)

【注释】

[1]《法句譬喻经》:又称《法句本末经》《法喻经》,四卷,西晋法炬、法立译。《法句譬喻经》是《法句经》在汉地的版本之一。《法句经》为法救尊者编撰,维只难等译,为诸经中佛所自说偈颂的结集,属于格言体佛典,而《法句譬喻经》是由佛理格言加上生动的因缘故事组成,其品目与《法句经》同,格言也都出自《法句经》。

[2]法炬、法立:皆是西晋末年僧人,二人还曾共同翻译《佛说诸德福田经》。

[3]绀(gàn)青:黑里透红。

2.梵志兄弟四人避死不得

昔佛在王舍城竹园中说法。时有梵志兄弟四人,各得五通,却后七日皆当命尽,自共议言:"五通之力,反覆天地,手扪日月,移山住流,靡所不能,宁当不能避此死?"对一人言:"吾入大海,上不出现,下不至底,正处其中,无常杀鬼[1]安知我处？"一人言："吾入须弥山中,还合其表,令无际现,无常杀鬼安知吾处？"一人言："吾当轻举隐虚空中,无常杀鬼安知吾处？"一人言："吾当藏入大市之中,无常杀鬼趣得一人,何必求吾也？"四人议讫相将辞王："吾等寿算余有七日,今欲逃命冀当得脱,还乃觐省[2]唯愿进德。"于是别去,各到所在。七日期满,各以命终,犹果熟落。市监白王："有一梵志卒死市中。"王乃悟曰："四人避对,一人已死,其余三人岂得独免？"王即严驾往至佛所,作礼却坐,王白佛言："近有梵志兄弟四人,各获五通,自知命尽皆共避之,不审今者皆能得脱不？"佛告大王："人有四事,不可得离。何谓为四？一者在中阴[3]中,不得不受生。二者已生,不得不受老。三者已老,不得不受病。四者已病,不得不受死。"

于是世尊即说偈言："非空非海中,非入山石间,无有地方所,脱之不受死。是务是吾作,当作令致是,人为此躁扰,履践老死忧。知此能自静,如是见生尽,比丘厌魔兵,从生死得度。"

王闻佛言叹曰："善哉！诚如尊教,四人避对一人已死,禄命有分余复然矣。"群臣从官莫不信受。(《法句譬喻经》卷一《无常品第一》)

【注释】

[1]无常杀鬼:指无常犹如杀人之鬼。由于无常令生者不分贵贱、不择豪贤必有一死,故比喻为杀鬼。

[2]觐省:觐见。

[3]中阴:也称"中有",指人死后还未投生前的过渡阶段。

3.昼日执炬

　　昔佛在拘睒尼国[1]美音精舍[2]，与诸四辈广说大法。有一梵志道士，智博通达，众经备举，无事不贯，贡高自誉天下无比，求敌而行，无敢应者。昼日执炬[3]行城市中，人问之曰："何以昼日执炬而行？"梵志答曰："世皆愚冥，目无所见，是以执炬以照之耳。"观察世间，无敢言者。佛知梵志宿福应度，而行贡高求胜名誉，不计无常自恃憍恣[4]，如是当堕太山地狱，无央数劫求出甚难。佛即化作一贤者，居肆[5]上坐。即呼梵志："何为作此？"梵志答曰："以众人冥昼，夜不见明，故执炬火而照之耳。"贤者重问："梵志经中有四明法，为知之不？"对曰："不审。""何谓四明法？一者明于天文地理，和调四时；二者明于星宿，分别五行；三者明于治国，绥化[6]有方；四者明于将兵，固而无失。卿为梵志，有此四明法以不？"梵志惭愧，弃炬叉手，有不及心。佛知其意，即还复身，光明炳然，晃照天地，便持梵声为梵志说偈言："若多少有闻，自大以憍人，是如盲执烛，照彼不自明。"

　　佛说偈已告梵志曰："冥中之甚，无过于汝，而昼执炬，行入大国，如卿所知，何如一尘？"梵志闻之，有惭愧色，即便叩头，愿为弟子。佛即受之，令作沙门，意解妄止，即得应真。(《**法句譬喻经**》卷一《**无常品第一**》)

【注释】

[1]拘睒尼国：也作"俱睒弥""憍赏弥"等，是古印度一都市。

[2]美音精舍：又作瞿师罗园精舍，是瞿师罗长者为佛陀所

建的精舍。

[3]炬:火把。

[4]㤭(jiāo)恣:骄傲放肆。

[5]肆:市集,店铺。

[6]绥化:安抚,使之归附。

4.琉璃王

昔长者须达[1]买太子园田,共造精舍,奉上世尊,各请佛及僧供养一月。佛为二人广陈明法,皆得道迹。太子祇陀[2]欢喜还东宫,叹佛之德,作乐自娱。祇弟琉璃,常在王边,时王素服与诸近臣及后宫夫人,往诣佛所,稽首礼毕,一心听经,琉璃在后典卫御座。时诸佞臣阿萨陀等,奸谋启曰:"试着大王印绶,坐御座上如似王不?"于是琉璃即随其言,被服升座,诸佞臣等皆共拜贺:"正似大王!""千载遭遇黎庶之愿,岂使东宫阘阘[3]于此?此之御座岂可升而复下也?"即率所从贯甲[4]拔剑,自就到祇洹精舍,斥徙大王不得还宫。与王官属战祇洹间,杀王近臣五百余人。王与夫人播迸[5],晨夜至舍夷国。中道饥饿,王噉[6]芦菔[7]腹胀而薨。于是琉璃遂即专制,便拔剑入东宫斫杀兄祇。祇知无常,心不恐惧,颜色不变,含笑熙怡[8],甘心受刃,命未绝间,闻虚空中自然音乐声迎其魂神。佛于祇洹即说偈言:

造喜后喜,行善两喜,彼喜惟欢,见福心安。

今欢后欢,为善两欢,厥为自佑,受福悦豫。

是时琉璃王寻兴兵众伐舍夷国,杀害释种道迹之人,残暴无道五逆兼备。佛记琉璃不孝不忠众罪深重,却后七日当为地

113

狱火所烧杀,又太史记记与佛同。王大怖懅即乘船入江。"吾今处水,火焉得来?"七日日中,有自然火从水中出,烧船覆没,王亦被烧,恐怖毒热,忽然沉终。于是世尊即说偈言:"造忧后忧,行恶两忧,彼忧唯惧,见罪心懅。今悔后悔,为恶两悔,厥[9]为自殃,受罪热恼。"

佛说是已,告诸比丘:"太子祇者,不贪荣位,守死怀道,上生天上,安乐自然;琉璃王者,狂愚快意,死堕地狱,受苦无数。一切世间豪贵贫贱,皆归无常,无长存者。是以高士殒命全行[10],为精神宝。"佛说是时莫不信受。(《法句譬喻经》卷一《无常品第一》)

【注释】

[1]须达:梵名 Sudatta,是中印度舍卫城的长者、波斯匿王的大臣,为人夙怜孤独,好行布施。皈依佛教后,建造祇园精舍供养佛陀。

[2]祇陀:梵名 Jeta,意译为胜太子、战胜太子。为中印度舍卫国波斯匿王的皇太子。祇园精舍就是长者须达在祇陀献给佛陀的祇园中建立的。

[3]阅阄:同"觇觑",窥视。

[4]贯甲:穿上衣甲。

[5]播逆:离散。

[6]啖(dàn):吃。

[7]芦菔(fú):萝卜。

[8]熙怡:喜悦。

[9]厥:遂,于是。

[10]殒命全行:牺牲生命,保全德行。

5.末利夫人持斋

昔佛始得道在罗阅祇国教化,转到舍卫国,国王群臣莫不宗仰。时有贾客大人名曰波利,与五百贾人入海求宝。时海神出,掬水问波利言:"海水为多?掬水为多?"波利答曰:"掬水为多。所以者何?海水虽多无益时用,不能救彼饥渴之人,掬水虽少值彼渴者,持用与之以济其命,世世受福不可称计。"海神欢喜赞言善哉!即脱身上八种香璎[1]校以七宝,以上波利。海神送之,安善往还到舍卫国,持此香璎上波斯匿王,具陈所由。"念是香璎非小人所服,谨以贡上,愿蒙纳受。"王得香璎以为奇异,即呼诸夫人罗列前住:"若最好者以香璎与之。"六万夫人尽严[2]来出。王问:"末利夫人何以不出?"侍人答言:"今十五日,持佛法斋,素服不严,是以不出。"王便瞋恚,遣人呼曰:"汝今持斋,应违王主之命不乎?"如是三反,末利夫人素服而出,在众人中,犹如日月,倍好于常,王意悚然,加敬问曰:"有何道德,炳然有异?"夫人白王:"自念少福,禀斯女形,情态秽垢,日夜山积,人命促短,惧坠三涂,是以日月奉佛法斋,割爱从道,世世蒙福。"王闻欢喜,便以香璎以与末利夫人。夫人答言:"我今持斋,不应着此,可与余人。"王曰:"我本发意欲与胜者,卿今最胜,又奉法斋,道志殊高,是以相与,若卿不受,吾将安置?"夫人答言:"大王勿忧,愿王屈意共到佛所,以此香璎奉上世尊,并采圣训,累劫之福矣。"王即许焉。即敕严驾往到佛所,稽首于地却就王位,王白佛言:"海神香璎,波利所上,六万夫人莫不贪得,末利夫人与而不取,持佛法斋,心无贪欲,谨以上佛,愿垂纳受。世尊弟子执心护斋直信如此,岂有福乎?"于是世尊为受香璎,即说偈言:"多作宝华,结步摇绮,广积德香,所生转好。琦草芳华,不逆风熏,近道敷开,德人逼香。栴檀多香,青莲芳花,虽曰是真,不如戒香。华香气微,不可谓真,持戒之香,到天殊胜。戒具成就,行无放逸,定意度脱,长离魔道。"

佛说偈已重告王曰:"斋之福佑明誉广远,譬如天下十六大国满中珍宝持用布施,不如末利夫人一日一夕持佛法斋,如比其福须弥以豆矣。积福学慧可到泥洹。"王及夫人群臣大小,莫不欢喜执戴奉行。(《法句譬喻经》卷二《喻华香品之二》)

【注释】

[1]香璎:即璎珞,用珠玉串贯而成的饰品,俗称佛珠或念珠。

[2]严:装束整齐。

6.调身人

昔有梵志其年二十,天才自然,事无大小过目则能,自以聪哲而自誓曰:"天下技术要当尽知,一艺不通则非明达也。"于是游学,无师不造,六艺[1]杂术,天文地理,医方镇压山崩地动,挢蒱[2]博弈妓乐博撮,裁割衣裳文绣绫绮,厨膳切割调和滋味,人间之事无不兼达。心自念曰:"丈夫如此,谁能及者?试游诸国,摧伏觝对[3],奋名四海,技术冲天,然后载功竹帛,垂勋百代。"于是游行,往至一国,入市观视,见有一人坐作角弓[4],析[5]筋治角,用手如飞,作弓调快,买者诤前。即自念曰:"少来所学自以具足，邂逅自轻，不学作弓，若彼斗技，吾则不如矣，当从受学耳。"遂从弓师求为弟子，尽心受学。月日之中具解弓法，所作巧妙，乃踰于师，布施财物，奉辞而去。去之一国，当渡江水，有一船师用船若飞，回旋上下，便疾无双，复自念曰："吾技虽多，未曾习船。虽为贱术，其于不知，宜当学之，万技悉备。"遂从船师愿为弟子，供奉尽敬，竭力劳勤。月日之中知其逆顺，御船回旋乃踰于师，布施财物，奉辞而去。复至一国，国王宫殿天下无双，即自念曰："作此殿匠，巧妙乃尔，自隐游来偶不学之，若与竞术，必不胜矣，且当复学，意乃足耳。"遂求殿匠，愿为弟子，尽心供养，执持斤斧，月日之间具解尺寸方圆规知，雕文刻镂木事尽知，天才明朗，事辄胜师，布施所有，辞师而去。周行天下，遍十六大国，命敌捔[6]技，独言只步，无敢应者。心自贡高曰："天地之间谁有胜我者？"佛在祇洹遥见此人应可化度，佛以神足化作沙门，拄杖持钵在前而来。梵志由来国无道法，未见沙门，怪是何人，须至当问。须臾来到，梵志问曰："百王之则未见君辈，衣裳制度无有此服，宗庙异物不见此器，君是何人，形服改常[7]也？"沙门答曰："吾调身人也。"复问："何谓调身？"于是沙门因其所习而说偈言："弓匠调角，水人调船，巧匠调木，智者调身。譬如厚石，风不能移，智者意重，毁誉不倾。譬如深渊，澄静清明，慧人闻道，心净欢然。"

于是沙门说此偈已，身升虚空还现佛身，三十二相、八十种好[8]，光明洞达照耀天地，从虚空来下，谓其人曰："吾道德变化，调身之力也。"于是其人五体投地，稽首问曰："愿闻调身其有要乎？"佛告梵志："五戒十善[9]、四等[10]、六度[11]、四禅[12]、三解脱[13]，此调身之法也。夫弓船木匠六艺奇术，斯皆绮饰华誉之事,荡身纵意生死之路也。"梵志闻之,欣然信解愿为弟子,佛言:"沙门善来!"须发自堕,即成沙门。佛重为说四谛八解之要,寻时即得阿罗汉道。(《法句譬喻经》卷二《明哲品第十四》)

【注释】

[1]六艺:中国古代的"六艺"出自《周礼·保氏》,即礼、乐、射、御、书、数。此处泛指各种技艺。

[2]樗(chū)蒲(pú):本是中国古代的一种博戏,类似于后代的掷色子等游戏。由于用于掷采的投子最初是用樗木制成,故称樗蒲或摴蒱。本文中的摴蒱是代指古印度类似的博戏。

[3]觝对:"觝"通"抵",对抗。

[4]角弓:用动物角和竹木、鱼胶、牛筋等制成的弓。

[5]析:分开。

[6]捔(jué):古同"角",竞力,斗。

[7]改常:反常。

[8]三十二相、八十种好:佛、菩萨之身所具足之殊胜容貌形相中,显著易见者有三十二种,称"三十二相";微细隐密难见者有八十种,称"八十种好"。两者合称"相好"。

[9]五戒十善:五戒是佛教的五种基本戒律,不杀生、不偷盗、不邪淫、不妄语、不饮酒戒。这是在家修行的佛教徒必须遵守的五种戒律。十善指不犯十种恶业,分别是一不杀生、二不偷盗、三不邪淫、四不妄言、五不绮语、六不两舌、七不恶口、八不悭贪、九不嗔恚、十不邪见。

[10]四等:四无量心、四等心、四心,即佛菩萨为普度众生所应具有的四种精神,分别是慈、悲、喜、舍。

[11]六度：六种可以从生死苦恼此岸得度到涅槃安乐彼岸的法门，即布施、持戒、忍辱、精进、禅定、智慧。

[12]四禅：又作四禅定、四静虑，指色界中之初禅、第二禅、第三禅、第四禅，故又称色界定。四禅之体为"心一境性"，四禅之用为"能审虑"。得四禅者离欲界之感受，而与色界之观想、感受相应。自初禅至第四禅，心理活动逐次发展，形成不同之精神世界。或谓自修证过程而言，前三禅乃方便之阶梯，仅第四禅为真实之禅。

[13]三解脱：即空解脱、无相解脱及无愿解脱。了知诸法本空，而不着于空，为空解脱；了知诸法幻有，而无所愿求，为无相解脱；了知诸法无相，而无不相，入于中道，为无愿解脱。

7.世间何者最苦

昔佛在舍卫国精舍，时有四比丘坐于树下，共相问言："一切世间何者最苦？"一人言："天下之苦无过淫欲。"一人言："世间之苦无过瞋恚。"一人言："世间之苦无过饥渴。"一人言："天下之苦莫过惊怖。"共净[1]苦义，云云不止。佛知其言往到其所，问诸比丘："属论何事？"即起作礼具白所论。佛言："比丘！汝等所论不究[2]苦义，天下之苦莫过有身！饥渴、寒热、瞋恚、惊怖、色欲、怨祸皆由于身。夫身者众苦之本，患祸之元，劳心极虑忧畏万端，三界蠕动更相残贼[3]，吾我缚着生死不息，皆由于身。欲离世苦，当求寂灭，摄心守正，泊然无想，可得泥洹，此为最乐。"于是世尊即说偈言："热无过淫，毒无过怒，苦无过身，乐无过灭。无乐小乐，小辩小慧，观求大者，乃获大安。我为世

119

尊,长解无忧,正度三有,独降众魔。"

佛说偈已告诸比丘:"往昔久远无数世,时有五通比丘名精进力,在山中树下闲寂求道。时有四禽依附左右常得安隐:一者鸽,二者乌,三者毒蛇,四者鹿。是四禽者,昼行求食,暮则来还。四禽一夜自相问言:'世间之苦何者为重?'乌言:'饥渴最苦,饥渴之时身赢目冥神识不宁,投身罗网不顾锋刃,我等丧身莫不由之,以此言之饥渴为苦。'鸽言:'淫欲最苦,色欲炽盛无所顾念,危身灭命莫不由之。'毒蛇言:'瞋恚最苦,毒意一起不避亲疏,亦能杀人复能自杀。'鹿言:'惊怖最苦,我游林野,心恒怵惕[4],畏惧猎师及诸豺狼,彷佛有声奔投坑岸。母子相捐[5]肝胆悼悸[6],以此言之惊怖为苦。'比丘闻之,即告之曰:'汝等所论是其末耳,不究苦本,天下之苦无过有身,身为苦器,忧畏无量,吾以是故,舍俗学道,灭意断想,不贪四大,欲断苦原,志存泥洹,泥洹道者寂灭无形,忧患永毕,尔乃大安。'四禽闻之,心即开解。"佛告比丘:"尔时五通比丘则吾身是,时四禽者今汝四人是也,前世已闻苦本之义,如何今日方复云尔?"比丘闻之,惭愧自责,即于佛前得罗汉道。(《**法句譬喻经**》卷三《**安宁品第二十三**》)

【注释】

[1]诤:通"争",争论。

[2]究:穷究,探究到问题的本质。

[3]残贼:残害。

[4]怵惕:恐惧警惕。

[5]捐:抛弃。

[6]悼悸：惊惧。

8.世间何者可爱

昔佛在舍卫精舍。时有四新学比丘，相将至柰树[1]下坐禅行道，柰华荣茂色好且香，因相谓曰："世间万物何者可爱以快人情？"一人言："仲春[2]之月，日木荣华，游戏原野，此最为乐。"一人言："宗亲吉会，觞酌交错，音乐歌舞，此最为乐。"一人言："多积财宝，所欲即得，车马服饰，与众有异，出入光显，行者瞩目，此最为乐。"一人言："妻妾端正，彩服鲜明，香熏芬馥，恣意纵情，此最为乐。"佛知四人应可化度，而走意[3]六欲[4]，不惟[5]无常，即呼四人而问之曰："属坐树下共论何事？"四人以实具白所乐。佛告四人："汝等所论尽是忧畏危亡之道，非是永安最乐之法也。万物春荣，秋冬衰落；宗亲欢娱，皆当别离；财宝车马，五家之分；妻妾美色，爱憎之主也。凡夫处世，兴招怨祸，危身灭族，忧畏无量，三涂[6]八难[7]，苦痛万端，靡不由之矣，是以比丘舍世求道，志存无为，不贪荣利，自致泥洹，乃为最乐。"于是世尊即说偈言："爱喜生忧，爱喜生畏，无所爱喜，何忧何畏？好乐生忧，好乐生畏，无所好乐，何忧何畏？贪欲生忧，贪欲生畏，解无贪欲，何忧何畏？贪法戒成，至诚知惭，行身近道，为众所爱。欲态不出，思正乃语，心无贪爱，必截流度。"

佛告四比丘："昔有国王名曰普安，与邻国四王共为亲友，请此四王宴会一月，饮食娱乐极欢无比。临别之日，普安王问四王曰：'人居世间以何为乐？'·王言：'游戏为乐。'一王言：'宗亲吉会，音乐为乐。'一王言：'多积财宝，所欲如意为乐。'

一王言：'爱欲恣情，此最为乐。'普安王言：'卿等所论是苦恼之本、忧畏之原，前乐后苦，忧悲万端，皆由此兴。不如寂静，无求无欲，淡泊守一，得道为乐。'四王闻之，叹喜信解。"佛告四比丘："尔时普安王者，我身是也，四王者，汝四人是也。前已说之，今故不解，生死莛蔓，何由休息？"时四比丘重闻此义，惭愧悔过，心意开悟，灭意断欲，得罗汉道。(《**法句譬喻经**》卷三《**好喜品第二十四**》)

【注释】

[1]柰(nài)树：柰是苹果的一个品种，类似于花红。

[2]仲春：即春季的第二个月，即农历二月。

[3]走意：着意。

[4]六欲：指眼、耳、鼻、舌、身五官及意所产生的欲望。

[5]不惟：不思虑。

[6]三涂：又作"三途"，即火涂、刀涂、血涂，义同三恶道中的地狱道、饿鬼道、畜生道，是因身、口、意诸恶业所引生之处。

[7]八难：指不得遇佛、不闻正法之八种障难，分别是在地狱难、在恶鬼难、在畜生难、在长寿天难、在边地之郁单越难、盲聋喑哑难、世智辩聪难、生在佛前佛后难。

9. 妻子如客

昔有婆罗门，年少出家学道，至年六十不能得道。婆罗门法六十不得道，然后归家娶妇为居。生得一男，端正可爱，至年七岁，书学聪了，才辩出口，有踰人之操[1]。卒得重病，一宿命

122

终。梵志怜惜不能自胜[2],伏其尸上气绝复苏,亲族谏喻,强夺殡殓,埋着城外。梵志自念:"我今啼哭计无所益,不如往至阎罗王所乞索儿命。"于是梵志沐浴斋戒,齎持[3]华香[4],发舍而去,所在问人:"阎罗王所治处为在何许?"展转前行行数千里,至深山中,见诸得道梵志,复问如前。诸梵志问曰:"卿问阎罗王所治处欲求何等?"答言:"我有一子,辩慧过人,近日卒亡,悲穷懊恼不能自解,欲至阎罗王所乞索儿命,还将归家,养以备老。"诸梵志等愍其愚痴,即告之曰:"阎罗王所治处,非是生人可得到也,当视卿方宜,从此西行四百余里有大川,其中有城,此是诸天神案行[5]世间停宿之城,阎罗王常以月八日案行,必过此城。卿持斋戒往,必见之。"梵志欢喜奉教而去。到其川中见好城郭,宫殿屋宇如切利天。梵志诣门,烧香翘脚咒愿求见阎罗王。王敕门人问之,梵志启言:"晚生一男,欲以备老,养育七岁,近日命终,唯愿大王垂恩布施,还我儿命。"阎罗王言:"大善!卿儿今在东园中戏,自往将去。"梵志即往,见儿与诸小儿共戏,即前抱之,向之啼泣曰:"我昼夜念汝,食寐不甘,汝宁念父母辛苦以不?"小儿惊唤逆呵之曰:"痴骏[6]老翁不达道理,寄住须臾,名之为子,勿妄多言,不如早去!今我此间自有父母,邂逅之间唐[7]自抱乎?"梵志怅然悲泣而去,即自念言:"我闻瞿昙沙门知人魂神变化之道,当往问之。"于是梵志即还求至佛所。时佛在舍卫祇洹为大众说法,梵志见佛,稽首作礼,具以本末向佛陈之:"实是我儿不肯见认,反谓我为痴骏老翁,寄住须臾认我为子,永无父子之情,何缘乃尔?"佛告梵志:"汝实愚痴!人死神去便更受形,父母妻子因缘会居,譬如寄客起则离散。愚迷缚着计为己有,忧悲苦恼不识根本,沉溺生死未央休息,唯有慧者不贪恩爱,觉苦舍习勤修经戒,灭除识想生死得尽。"于是世尊即说偈言:"人营妻子,不观病法,死命卒至,如水湍骤,父子不救,余亲何望?命尽怙亲,如盲守灯。慧解是意,可修经戒,勤行度世,一切除苦。远离诸渊,如风却云,已灭思想,是为知见。智为世长,憺乐无为,如受正教,生死得尽。"

梵志闻偈,爚然[8]意解。知命无常,妻子如客,稽首委质[9]愿为沙门。佛言:"善哉!"须发自落,法衣在身,即成比丘,思惟偈义,灭爱断想,即于座上得阿罗汉道。(《法句譬喻经》卷三《道行品第二十八》)

【注释】

[1]踰(yú)人之操:过人的品质。踰同"逾",超过。

[2]自胜:克制自己。

[3]齎(jí)持:拿着。齎同"赍"。

[4]华香:花与香,都是供佛之物。

[5]案行:巡视。

[6]痴骏(ái):愚蠢。

[7]唐:突兀地。

[8]爚(huò)然:光芒闪亮的样子。

[9]委质:亦作"委挚""委贽",意为呈献礼物,表示忠诚归附。

10.智者养神,愚者养身

昔佛在舍卫国说法教化,天龙鬼神、帝王人民三时[1]往听。

彼时国王名波斯匿[2]，为人侨慢[2]，放恣情欲，目惑于色，耳乱于声，鼻着馨香，口恣五味，身受细滑，食饮极美，初无厌足[3]，食遂进多，恒苦饥虚，厨膳不废，以食为常，身体肥盛，乘舆不胜，卧起呼吸，但苦短气，气闭息绝，经时惊觉，坐卧呻吟，恒苦身重，不能转侧，以身为患，便敕[4]严驾[5]往到佛所。侍者扶持问讯，却坐叉手，白佛言："世尊，违远侍观，谘受[6]无阶，不知何罪，身为自肥，不能自觉，何故使尔？每自患之，是以违替，不数礼觐。"佛告大王："人有五事令人常肥：一者数食，二者喜眠，三者侨乐，四者无愁，五者无事，是为五事喜令人肥。若欲不肥，减食麤燥[7]，然后乃瘦。"于是世尊即说偈言："人当有念意，每食知自少，从是痛用薄，节消而保寿。"

王闻此偈欢喜无量，即呼厨士而告之曰："受诵此偈，若下食时先为我说，然后下食。"王辞还宫，厨士下食辄便说偈，王闻偈喜，日减一匙，食转减少，遂以身轻即瘦如前。自见如此欢欣念佛，即起步行往到佛所，为佛作礼，佛命令坐而问王曰："车马人从为所在也？何缘步行？"王喜白佛："前得佛教，奉行如法，今者身轻，世尊之力，是以步来知为何如。"佛告大王："世人如此，不知无常。长身情欲，不念为福。人死神去，留身坟塜[8]。智者养神，愚者养身。若能解此，奉修圣教。"于是世尊重说偈言："人之无闻，老如特牛，但长肌肥，无有智慧。生死无聊，往来艰难，意倚贪身，更苦无端。慧人见苦，是以弃身，灭意断欲，爱尽无生。"

王重闻偈欣然意解，即发无上正真道意，听者无数皆得法眼。（《法句譬喻经》卷三《广衍品第二十九》）

【注释】

[1]三时：即印度的"三际时"，将一年分为热际时、雨际时、寒际时三种季节。

[2]憍(jiāo)慢：傲慢。憍，同"骄"。

[3]厌足：欲望得到满足。厌，同"餍"。

[4]敕：命令。

[5]严驾：整备车马。

[6]谘受：请教、承受。

[7]麤(cū)燥(sào)：泛指食物。麤是糙米、粗粮；燥指剁细的肉，也作"臊"。

[8]坟塕(péng)：坟墓。塕同"塝"，尘土。

11.富兰迦叶与佛捔试道德

昔舍卫国有婆罗门师，名富兰迦叶[1]，与五百弟子相随，国王人民先共奉事。佛初得道与诸弟子从罗阅祇[2]至舍卫国，身相显赫道教弘美，国王中宫率土人民莫不奉敬。于是富兰迦叶起嫉妒意，欲毁世尊独望敬事，即将[3]弟子见波斯匿王而自陈曰："吾等长老先学，国之旧师，沙门瞿昙后出求道，实无神圣，自称为佛，而王舍我欲专奉之，今欲与佛捔试[4]道德，知谁为胜。胜者王便终身奉之。"王言："大善！"王即严驾往到佛所，礼毕白言："富兰迦叶欲与世尊捔尽道力现神变化，不审世尊为可尔不？"佛言："大佳！"结期七日当捔变化，王于城东平广好地立二高座，高四十丈，七宝庄校[5]，施设幢幡[6]，整顿座席，二座中间相去二里，二部弟子各坐其下，国王群臣大众云集，欲观二人捔其神化。于时迦叶与诸弟子先到座所登梯而上，有鬼神王名曰般师，见迦叶等虚妄嫉妒，即起大风吹其高座，坐具颠倒，幢幡飞扬，雨砂砾石[7]，眼不得视，世尊高座淡然不动。佛与大众庠序[8]而来，方向高座忽然已上，众僧一切寂然次坐。王及群臣加敬稽首白佛言："愿垂神化，厌伏[9]邪见，并令国人明信正真。"于是世尊即于座上燸然不现，即升虚空奋大光明，东没西现，四方亦尔，身出水火，上下交易，坐卧空中十二变化，没身不现，还在座上，天龙鬼神华香供养，赞善之声震动天地。富兰迦叶自知无道，低头惭愧不敢举目，于是金刚力士[10]举金刚杵，杵头火出以拟[11]迦叶："何以不现卿变化乎？"迦叶惶怖投座而走，五百弟子奔波迸散。世尊威颜容无欣戚，还到祇树给孤独园，国王群臣欢喜辞退。于是富兰迦叶与诸弟子受辱而去，去至道中逢一老优婆夷，字摩尼，逆骂之曰："卿等群愚不自忖度，而欲与佛比捔道德，狂愚欺诳不知羞耻，亦可不须持此面目行于世间也。"富兰迦叶羞诸弟子至江水边，诳诸弟子："我今投水必生梵天，若我不还则知彼乐。"诸弟子待之不还，自共议言："师必上天，我何宜住？"一一投水冀[12]当随师，不知罪牵皆堕地狱。后日国王闻其如此，甚惊怪之，往到佛所，白佛言："富兰迦叶师徒迷愚，何缘乃尔？"佛告王曰："富兰迦叶师徒重罪有二：一者三毒[13]炽盛，自称得道；二者谤毁如来，欲望敬事。以此二罪应堕地狱，殃咎催逼使其投河，身死神去受苦无量，是以智者守摄其心，内不兴恶，外罪不至，譬如边城与寇连接，守备牢固无所畏惧，内人安隐外寇不入，智者自护亦复如是。"于是世尊即说偈言："妄证求赂，行已不正，怨谮[14]良人，以枉治世，罪牵斯人，自投于坑。如备边城，中外

127

牢固,自守其心,非法不生,行缺致忧,令堕地狱。"

佛说偈已,重告王曰:"乃往昔时,有二猕猴王,各主五百猕猴。一王起嫉妒意,欲杀一王,规图独治,便往共斗。数数不如羞惭退去。到大海边海曲之中,有水聚沫,风吹积聚高数百丈。猕猴王愚痴谓是雪山,语群辈言:'久闻海中有雪山,其中快乐,甘果恣口,今日乃见。吾当先往行视,若审乐者,不能复还,若不乐者,当来语汝。'于是上树尽力跳腾,投聚沫中溺没海底。余者怪之不出,谓必大乐,一一投中断群溺死。"佛告王曰:"尔时嫉妒猕猴王者,今富兰迦叶是也。群辈者,今富兰迦叶弟子五百人是也。彼一猕猴王者,我身是也。富兰迦叶前世坐怀嫉妒,为罪所牵,自投聚沫,绝群断种,今复诽谤,尽投江河,罪对使然,累劫无限。王闻信解,作礼而去。(**《法句譬喻经》卷三《地狱品第三十》**)

【注释】

[1]富兰迦叶:原型是与释迦牟尼同时期的思想家富兰迦叶,在佛教传说中作为六师外道之一出现。他的学说被概括为"无因果论",认为世界上一切事情的发生都是无因无缘的,并且从这一哲学观点出发,对社会道德做彻底的否定。

[2]罗阅祇:即王舍城,中印度摩羯陀国的都城。

[3]将:带领。

[4]捔(jué)试:比试。"捔"通"角",竞力。

[5]七宝庄校:用七宝庄重地装饰。

[6]幢幡:幢为圆筒状,幡为长条状,是佛家用以宣告有法事、共修等活动的旌旗类用品。

[7]雨砂砾石:像下雨那样降下砂砾石。"雨"用作动词,下雨。

[8]庠序:安详肃穆。"庠"通"详",安详。

[9]厌伏:用权威制伏。

[10]金刚力士:执金刚杵守护佛法的天神。

[11]拟:接近、靠近。

[12]冀:希望。

[13]三毒:贪欲、嗔恚、愚痴三种烦恼,又作三火、三垢。此三毒又为身、口、意三恶行之根源,故亦称三不善根。

[14]怨谮(zèn):怨恨、中伤。

12.佛以譬喻启迪罗云[1]

昔者罗云未得道时,心性麤犷[2],言少诚信。佛敕罗云:"汝到贤提精舍中住,守口摄意,勤修经戒。"罗云奉教作礼而去。住九十日,惭愧自悔,昼夜不息。佛往见之,罗云欢喜,趣前礼佛,安施绳床[3],摄受[4]震越[5],佛踞绳床告罗云曰:"澡盘取水为吾洗足。"罗云受教为佛洗足,洗足已讫,佛语罗云:"汝见澡盘中洗足水不?"罗云白佛:"唯然见之。"佛语罗云:"此水可用食饮盥漱以不?"罗云白言:"不可复用。所以者何?此水本实清净,今以洗足,受于尘垢,是以之故不可复用。"佛语罗云:"汝亦如是,虽为吾子国王之孙,舍世荣禄得为沙门,不念精进摄身守口,三毒垢秽充满胸怀,亦如此水不可复用。"佛语罗云:"弃澡盘中水。"罗云即弃。佛语罗云:"澡盘虽空,可用盛饮食不耶?"白佛言:"不可用。所以然者,用有澡盘之名,曾受不净故。"佛语罗云:"汝亦如是。虽为沙门,口无诚信,心性刚强,不念精进,曾受恶名,亦如澡盘不中[6]盛食。"佛以足指拨却澡盘,澡盘应时轮转而走,自跳自堕数返乃止。佛语罗云:"汝宁惜澡盘恐破不?"罗云白佛:"洗足之器,贱价之物,意中虽惜,不大殷勤[7]。"佛语罗云:"汝亦如是。虽为沙门,不摄身口,麤言恶说,多所中伤,众所不爱,智者不惜,身死神去,轮转三涂,自生自死,苦恼无量,诸佛贤圣所不爱惜,亦如汝言不惜澡盘。"罗云闻之,惭愧怖悸。佛告罗云:"听我说喻。昔有国王有一大象,猛黠[8]能战,计其力势,胜五百小象。其王兴军欲伐逆国,被[9]象铁铠,象士御之,以双予戟系象两牙,复以二剑系着两耳,以曲刃刀系象四脚,复以铁挝[10]系着象尾,被象九兵,皆使严利。象虽藏鼻护不用斗,象士欢喜知象护身命,所以者何?象鼻软脆,中箭即死,是以不出鼻斗耳。象斗殊久出鼻求剑,象士不与,念此猛象不惜身命,出鼻求剑欲着鼻头,王及群臣惜此大象,不复使斗。佛告罗云:"人犯九恶,唯当护口,如此大象护鼻不斗。所以然者,畏中箭死。人亦如是,所以护口,当畏三涂地狱苦痛。十恶尽犯不护口者,如此大象分丧身命,不计中箭出鼻斗耳。人亦如是,十恶尽犯,不惟三涂毒痛辛苦。若行十善,摄口身意,众恶不犯,便可得道,长离三涂,无生死患。"于是世尊即说偈言:"我如象斗,不恐中箭,常以诚信,度无戒人。譬象调伏,可中王乘,调为尊人,乃受诚信。"

罗云闻佛恳恻之诲,感激自励克骨不忘,精进和柔怀忍如地,识想寂静得罗汉道。(《法句譬喻经》卷四《象喻品第三十一》)

【注释】

[1]罗云:即罗睺罗,是佛陀在家时的儿子,佛陀得道还乡

后,罗睺罗随佛陀出家,后成为佛陀十大弟子之一,以"密行第一"著称。

[2]麤(cū)犷:粗野,粗鲁。

[3]绳床:比丘十八物之一,为绳制之座具,供比丘坐卧用。佛世时即为僧众所用之具。

[4]摄受:又称摄取,本意是佛以慈悲心摄取众生。

[5]震越:衣服。

[6]不中:不适合。

[7]殷懃(qín):恳切。

[8]猛黠(xiá):勇猛而聪明。

[9]被:同"披",覆盖。

[10]铁挝:即铁桷(zhuā),铁杖,一种兵器。

《中阿含经》[1]

[东晋]瞿昙僧伽提婆[2] 译

箭喻经（节选）

犹如有人身被毒箭，因毒箭故，受极重苦。彼见亲族怜念愍伤，为求利义饶益安隐，便求箭医。然彼人者方作是念：未可拔箭！我应先知彼人如是姓、如是名、如是生？为长、短、粗、细？为黑、白、不黑不白？为刹利族、梵志、居士、工师[3]族？为东方、南方、西方、北方耶？未可拔箭！我应先知彼弓为柘、为桑、为槷、为角耶[4]？未可拔箭！我应先知弓扎，彼为是牛筋、为麞鹿[5]筋、为是丝耶？未可拔箭！我应先知弓色为黑、为白、为赤、为黄耶？未可拔箭！我应先知弓弦为筋、为丝、为纻[6]、为麻耶？未可拔箭！我应先知箭𥼶[7]为木、为竹耶？未可拔箭！我应先知箭缠为是牛筋、为麞鹿筋、为是丝耶？未可拔箭！我应先知箭羽为飘鸿毛、为雕鹫[8]毛、为鹍鸡毛、为鹤毛耶？未可拔箭！我应先知箭为铧[9]、为矛、为铍刀[10]耶？未可拔箭！我应先知作箭？师如是姓、如是名、如是生？为长、短、粗、细？为黑、白、不黑不白？为东方、西方、南方、北方耶？彼人竟不得知，于其中间而命终也。

若有愚痴人作如是念，若世尊不为我一向说世有常者，我不从世尊学梵行。彼愚痴人竟不得知。于其中间而命终也。如是世无有，世有底，世无底，命即是身。为命异身异。如来终，如来不终，如来终不终，如来亦非终亦非不终耶。若有愚痴人作如是念。若世尊不为我一向说此是真谛,余皆虚妄言者。我不从世尊学梵行。彼愚痴人竟不得知,于其中间而命终也。(《中阿含经》卷六十《例品箭喻经第十》)

【注释】

[1]《中阿含经》:六十卷,东晋隆安二年(398)罽宾沙门僧伽提婆译。此经是北方佛教所传《四阿含经》(即《长阿含》《中阿含》《杂阿含》《增一阿含》)中之一。因为它所汇集各经,不长不短,事处适中,所以叫《中阿含经》,为中国所传小乘佛教的代表性经典之一。

[2]僧伽提婆:华言众天,本姓瞿昙氏,北印度罽宾人。他出家以后,远访明师,学通三藏,尤精于《阿毗昙心论》。又经常颂习《三法度论》,奉为入道的要典。为人气度开朗,举止温和,又洞察物情,诲人不倦,信众都乐于亲近。

[3]工师:工匠。

[4]柘(zhè):柘木是桑科植物柘树的树干,是一种名贵的木料,可以用来制弓;梨(guī),古书上记载的一种树,木材可以制弓;角,指兽角,有一些弓是以动物角为原料制作的。

[5]麈(zhāng)鹿:麈,一种体形较小,前肢短,后肢长,蹄小耳大,头上无角的鹿,也叫“獐鹿”。“麈”通“獐”。

[6]纻:纻麻纤维织物。

[7]箭簳(gǎn):即箭竿或箭干,箭身。

[8]雕鹫:一种雕类大鸟。

[9]錍(pī):古同“鈚”,一种较宽较薄较长的箭头。

[10]鈹(pí)刀:两侧有刃的刀。

《杂譬喻经》

[后秦]鸠摩罗什[1] 译

1.雀离寺师将沙弥下喻

昔雀离寺有一长老[2]比丘,得罗汉道。将一沙弥,时复来下入城游观[3]。衣钵大重,令沙弥担,随从其后。

沙弥道中便作是念:人生世间,无不受苦。欲免此苦,当与何等道?作是思惟:佛常赞叹菩萨为胜,我今当发菩萨心。适作是念,其师即以知他心通[4],照其所念,语沙弥言:"持衣钵来。"沙弥持衣钵,授与其师。师语沙弥:"汝在前行。"沙弥适在前行,复作是念:菩萨之道甚大勤苦,求头与头、求眼与眼,此事极难,非我所办。不如早取罗汉,疾得离苦。师复知其所念,语沙弥言:"汝担衣钵还从我后。"

如是三反,沙弥怪愕,不知何意。前至所止处,叉手白师,请问其意。其师答曰:"汝于菩萨道三进,故我亦三反,推汝在前;汝心三退,故推汝在后。所以尔者,发菩萨心,其功德胜满三千世界成就罗汉故也。"

【注释】

[1]鸠摩罗什(343~413):梵名 Kumārajīva,意译为童寿。中国古代最杰出的佛经翻译家之一,龟兹人,主要生活在十六国

134

时期的后秦，为当时重要译经师、教育家。自佛教传入中国以来，汉译佛经日多，但所译多滞文格义，不与原本相应，罗什通达多种外国语言，所译经论内容卓拔，文体简洁晓畅，文字优美凝练，在中国佛经翻译史上具有重要地位。罗什一生致力弘通之法门主要为般若系之大乘经典，与龙树、提婆系之中观部论书之翻译。

[2]长老：又称上座、上首、首座，指年长而法腊高、智德兼具的大比丘。

[3]游观：指僧人游历四方、说法行化，又称"游方"，禅宗称"行脚"。

[4]知他心通：即他心通。六通之一，谓能知众生心中所想之事。

2.兄弟二人共为沙门喻

昔迦叶佛时有兄弟二人，出家俱为沙门。兄好持戒坐禅，一心求道而不好布施，弟好布施修福而喜破戒。

释迦文出世，其兄值佛[1]，出家修道，即得罗汉，而独薄福，常患衣食不充。与诸伴等游行乞食，常独不饱而还。其弟生象中为象，多力能却怨敌，为国王所爱。以好金银、珍宝、璎珞[2]其身，封数百户邑，供给此象，随其所须[3]。

时兄比丘者值世大俭，游行乞食，七日不得。末后得少粗食，殆得存命。先知此象是前世兄弟，便往诣象前，手捉象耳而语之言："我与汝俱有罪也。"象便思惟比丘语，即得自识宿命，见前世因缘。象便愁忧，不复饮食。象子怖惧，便往白王言："象不复饮食,不知何意。"王问象子:"先有人犯此象不?"象子答王言:"无他异人,唯见一沙门来至象边,须臾便去耳。"王即遣人四出,觅此沙门。有人于林树间得,便摄此沙门将诣王前。王问沙门言:"至我象边何所道说?"沙门答王言:"无所多说,我直语象言'我与汝俱有罪耳'。"时沙门便向王具说前世因缘事。王意便悟,即放此沙门,令还所止。

是以修福之家,戒、施兼行,莫偏执而功德不备也。

【注释】

[1]值佛:即遇佛,遇值佛陀出世。逢佛出世是稀有难得之事,故佛门有"值佛难"之语。

[2]璎珞:用珠玉串成的装饰品,多用于装饰颈部。璎珞在古印度本是装饰于佛像颈间的装饰,后来随佛教一起传入我国,才发展成受妇女喜爱的项饰。

[3]须:通"需"。

3.伎儿作种种伎喻

昔有伎儿,作种种伎乐,从一富长者乞牛。长者了无[1]与心,故语之言:"汝能如是勤作伎乐昼夜不息满一岁者,我当与汝牛。"伎儿答言:"能。"复语主人:"能听不?"长者亦言:"能。"于是伎儿闻是欢喜,一心作乐,三日三夜未尝休懈。长者厌听已,即敕子弟,牵牛与之。

此喻行道作福[2]者,不以劫数[3]为远,精勤弥笃,报至弥疾,不必皆经尔数[4]劫也。

【注释】

[1]了无:丝毫没有。

[2]作福:做功德。

[3]劫数:劫的数量。

[4]尔数:那么多的。

4.比丘被摈喻

昔有一比丘被摈[1],懊恼悲叹,涕哭而行。道逢一鬼,此鬼犯法,亦为毗沙门天王[2]所摈。时鬼问比丘言:"汝有何事,涕哭而行?"比丘答曰:"我犯僧事[3],众僧所摈。一切檀越、供养尽失,又恶名声,流布远近,是故愁叹涕泣耳。"鬼语比丘言:"我能令汝灭恶名声,大得供养。汝可便立我左肩上,我当担汝,虚空中行,人但见汝,而不见我身。汝若大得供养,当先与我。"彼鬼即时担此比丘,于先被摈聚落上虚空中行。

时聚落人,见皆惊怪,谓其得道,转相谓言:"众僧无状枉[4]摈得道之人。"时聚落人皆诣此寺,呵责众僧。即迎此比丘住于寺内,遂大得供养。此比丘随[5]所得衣食诸物,辄先与鬼,不违本要[6]。

此鬼异日复担此比丘游行空中,正值毗沙门天王官属。鬼见司官,甚大惊怖,捐弃比丘,绝力而走。此比丘遂堕地而死,身首碎烂。

此喻行者[7]宜应自修所向,不应恃托豪势。一旦倾覆,与彼无异也。

【注释】

[1]摈：指摈出，是对犯戒比丘、沙弥的一种处罚方法，即将其驱逐出教团，相当于削除僧籍，故又称摈籍。

[2]毗沙门天王：四天王中北方天王的名字，即多闻天王。

[3]僧事：本指僧中之事务，如授戒、说戒等。此处引申为戒律。

[4]抂（wǎng）：通"枉"，冤枉。

[5]随：应该、依例。

[6]要：通"约"。

[7]行者：修行佛法之人。

5.喜根喻

在昔过世无量尘数之劫时，有菩萨名曰喜根[1]，于大众中讲摩诃衍。文殊师利时为凡人，出家修道，专精苦行，行十二头陀[2]，福度一切。遇值讲法，因而过听。喜根菩萨说实相法[3]，言淫、怒、痴与道不异，亦即是道，亦是涅槃。文殊尔时闻而不信，即便舍去。到喜根弟子家，为说恶露不净[4]之法。喜根弟子即时难曰："无所有者，法之真也。诸法皆空，云何当有净与不净？"头陀比丘默然无对，含嗔心内，遂成愤结。

时喜根弟子说七十偈，赞实相法。头陀比丘闻一偈，嗔恚生一增；竟七十偈，嗔恚七十增。说偈适竟，地即劈裂，无择泥梨[5]于是悉现，头陀比丘即堕其中。过无量劫，罪毕乃出，然后乃知不信妙法其罪重也。后为比丘，专精学问，得大智慧，解空第一。

138

此喻明佛说般若,不信诽谤。今虽有损,后大益也。

【注释】

[1]喜根:菩萨名。佛经中说他"容仪质直,不舍世法,又不分别善恶,不赞少欲知足,不赞戒行头陀,但说诸法实相"。

[2]十二头陀:"头陀"即头陀行,梵语为 dhuta,意译为"抖擞",即抖擞烦恼如抖衣除尘。"十二头陀"指修治身心、除净烦恼尘垢的十二种苦行。

[3]实相法:即"诸法实相",也称"诸法实性",指宇宙最高真理、世界本质状态。在佛教教理中,诸法实相即空、真如。

[4]恶露不净:指人身不净。恶露是指人身上所出的不洁之津液,如脓、血、屎、尿等。

[5]无择泥梨:泥梨,梵语为 niraya,即地狱。无择泥梨也称"无间地狱",为八热地狱之一,是受苦没有间断的地狱,凡造五逆罪之一者,死后必堕于此。

6.木师画师喻

昔北天竺有一木师,大巧,作一木女,端正无双,衣带严饰,与世女无异。亦来亦去,亦能行酒看客,唯不能语耳。时南天竺有一画师,亦善能画。木师闻之,作好饮食,即请画师。画师既至,便使木女行酒擎食。从旦至夜,画师不知,谓是真女,欲心极盛,念之不忘。时日以暮,木师入宿,亦留画师,令住止,以此木女立侍其侧,便语客言:"故留此女可共宿也。"主人已入,木女立在灯边,客即呼之,而女不来。客谓此女羞,故不来,便前以手牵之,乃知是木,便自惭愧,心念口言:"主人诳[1]我,我当报[2]之。"

于是画师复作方便,即于壁上画作己像。所著被服,与身不异,以绳系颈,状似绞死。画作蝇鸟,著其口啄。作已闭户,自入床下。天明,主人出,见户未开,即向中观,唯见壁上绞死客像。主人大怖,便谓实死,即破户入,以刀断绳。于是画师从床下出,木师大羞。画师即言:"汝能诳我,我能诳汝。客主情毕,不相负也。"

二人相谓:"世人相诳惑,孰异于此!"时彼二人信知诳惑,各舍所亲爱,出家修道。

【注释】

[1]诳:欺骗。

[2]报:报复。

7.医师治王病喻

昔有一大国王,身得重病,十二年不差。一切大医无能治者。时边方小国统属大王,有一医师善能治病,王即召来,令治己病。未久之间,即蒙除降[1]。王便念欲报此师恩,屡遣使者宣令彼国:此师治王病差,应有大功,宜应赏赐;象马车乘、牛羊田宅、青衣直人[2]、严饰之具,皆给与之。彼小国王奉宣上命,为设舍宅,高堂重阁。给其师妇、衣裳、饮食、珠环严具,及象马牛羊,一切备足。

师在王边,无有语者。师便思惟:我治王病,大有功夫,未知王当报我与不？复经数日，王转平复，其师请辞，欲还本国。王便听之，给一羸马[3]，乘具亦弊。师大叹恨：我治王病，大有功夫，而王不识恩分，不相料理，令我空去。循道愁叹，以为永恨[4]。适至本国，见有群象，问象子曰："此谁家象？"象子答曰："此是某甲师象。"复问象子曰："某甲师何从得此象？"象子答曰："某甲师治大王病差，功报所得也。"小复前行，见有群马，问马子曰："此谁家马？"马子答曰："某甲师马。"小复前行，见有群牛羊，问群牛羊子曰："此谁家牛羊？"羊子答曰："某甲师牛羊。"小复前行，见其本舍，高堂重阁，殊异本宅，问门人曰："此是谁舍？"门人答曰："此是某甲师舍。"便入其阁内，见其妇形色丰悦，身服宝衣，怪而问曰："此谁夫人？"直人答言："此是某甲师夫人。"从见象马及入舍内，皆知是治王病功报所得，便自追恨：本治王病，功夫少也。

喻福德也。福德留难，如王病也；医师喻修福人也；治王病者，喻如行人能修福事也；王病差者，如福德已成也；王宣令赏赐象马、室宅者，言福积于此，报成于彼也；夫望速者，常患应迟也，如人少信，有时作福便望朝夕报也，老病死至，便谓自然无善报也；得天中阴，善应具至，如彼医师见象马也；乘此中阴，既到天宫，受彼生阴，目见天堂种种严饰，乃知追恨往昔不多作也，如彼医师既见赏赐，恨其治病功夫少也。

【注释】

[1]除降：解除病痛。

[2]直人：佣人。

[3]羸马：瘦弱的马。

[4]永恨：长久的遗憾。

8.恶雨喻

外国时有恶雨，若堕江湖、河井、城池水中，人食此水，令人狂醉，七日乃解。

时有国王，多智善相。恶雨云起，王以知之，便盖一井，令雨不入。时百官群臣食恶雨水，举朝皆狂，脱衣赤裸，泥土涂头而坐王厅上。唯王一人独不狂也，服常所着衣，天冠璎珞坐于本床。一切群臣，不自知狂，反谓王为大狂，何故所着独尔。众人皆相谓言："此非小事。"思共宜之。王恐诸臣欲反，便自怖懅，语诸臣言："我有良药，能愈此病。诸人小停，待我服药，须臾当出。"王便入宫，脱所着服，以泥涂面，须臾还出。一切群臣见皆大喜，谓法应尔，不自知狂。

七日之后，群臣醒悟，大自惭愧，各着衣冠而来朝会。王故如前，赤裸而坐，诸臣皆惊怪而问言："王常多智，何故若是？"王答臣言："我心常定，无变易也。以汝狂故，反谓我狂，以故若是，非实心也。"

如来亦如是。以众生服无明水，一切常狂。若闻大圣常说诸法，不生不灭、一相无相者，必谓大圣为狂言也。是故如来随顺众生，现说诸法是善，是恶，是有为，是无为也。

9.王子入山喻

昔有一国，王子年始七岁，便入深山求学仙道，未曾知朝廷百官之任。后国王寿终,便无堪任为国王者。群臣共议:山中仙人本是王子,兼修道德,以此为王,万国有赖也。率土臣民皆出,诣山,拜此仙以为国王。乘以王舆,迎还本国。

宣敕食官,妙馔盛味以飨大王。王以食味可口故,其余诸物,事事从厨士索之。群臣具皆笑,故谓王曰:"百官之任,各有所主。厨官自主食,衣官自主衣,兵事、宝藏,各有所司,不可以食美故,备一人也。"

此喻明众经各自有所明,不可责备于一经也。彼若自明诸法实相,阿毗昙[1]明诸法有,各各相异,勒相无相而说也。

【注释】

[1]阿毗昙:梵语 Abhidharma,又译阿毗达磨,意译对法、胜法、无比法,指佛教经、律、论三藏中的论藏,是佛教高僧大德对佛经的理解和阐释。

10.田舍人喻

昔有田舍人,暂至都下,见被鞭持热马屎涂背,问言:"何故若是?"其人答:"令疮易愈而不作瘢。"田舍人密着心中。后归家语其家人言:"我至都下,大得智慧。"后家人问言:"得何等智慧?"便呼奴言:"持鞭来,痛与我二百鞭。"奴畏大家[1],不敢违命,即痛与二百鞭,流血被背。语奴言:"取热马屎来,为我涂之。可令易愈,而不作瘢。"语家人言:"汝知之不?此是智慧。"

此喻下戒道人[2],本遇明师受戒,即得见他受戒,便捐弃本戒,更作白衣[3]以坏法身。喻受二百鞭,流血被背也;方求更受,如马屎涂也。

【注释】

[1]大家:主人。

[2]下戒道人:下品的出家者。

[3]白衣:指在家人。古代印度非僧侣者皆着白衣,故佛典多以"白衣"为在家人的代称,沙门则被称作缁衣、染衣。

11.蛇头尾共诤喻

昔有一蛇,头尾自相与诤。头语尾曰:"我应为大。"尾语头曰:"我亦应大。"头曰:"我有耳能听,有目能视,有口能食,行时最在前,是故可为大。汝无此术,不应为大。"尾曰:"我令汝去,故得去耳。若我以身绕木三匝[1],三日而不已,头遂不得去求食,饥饿垂死。"头语尾曰:"汝可放之,听汝为大。"尾闻其言即时放之,复语尾曰:"汝既为大,听汝在前行。"尾在前行,未经数步堕火坑而死。

此喻僧中或有聪明大德上座,能断法律;下有小者[2],不肯顺从。上座力不能制,便语之言:"欲尔随意。"事不成济,俱堕非法,喻若彼蛇坠火坑也。

【注释】

[1]匝:一周,一圈。

[2]小者:无智慧之人。

12.捕鸟师喻

昔有捕鸟师,张罗网于泽上,以鸟所食物着其中。众鸟命侣竞来食之。鸟师引其网,众鸟尽堕网中。时有一鸟大而多力,身举此网与众鸟俱飞而去。鸟师视影,随而逐之。有人谓鸟师曰:"鸟飞虚空而汝步逐,何其愚哉!"鸟师答曰:"不如是告。彼鸟日暮,要求栖宿,进趣[1]不同,如是当堕。"其人故逐不止。日以转暮,仰观众鸟,翻飞争竞,或欲趣东,或欲趣西,或望长林,或欲赴渊[2]。如是不已,须臾便堕,鸟师遂得,次而杀之。

捕鸟师者如波旬[3]也;张罗网者如结使[4]也;负网而飞,如人未离结使,欲求出要[5]也;日暮而止,如人懈怠心生,不复进也;求栖不同者,如起六十二见[6],恒相反也;鸟堕地者,如人受邪报落地狱也。此明结使尘垢,是魔罗[7]网也。

【注释】

[1]进趣:也作"进趋""进趋",行动之意。

[2]渊:深潭。

[3]波旬:又作"魔波旬",意译杀者、恶物、恶中恶、恶爱。指断除生命与善根的恶魔,是释迦在世时的魔王名。此魔王常随逐扰乱佛及诸弟子。

[4]结使:烦恼的别称。烦恼缠缚众生,使之不能出离生死,故称结;驱役众生,令众生恼乱,故称使。结有九种,使有十种,合称"九结十使"。

[5]出要:出离生死之要道。

[6]六十二见:古代印度相对于佛教的外道所执之六十二种错误见解。

[7]魔罗:魔。

13.卖酪自存喻

昔天竺国有二贫人,营生计俭,常卖酪自存。二人各头戴酪瓶,诣市欲卖。时值天雨,道路泥滑。一人有智,自思惟言:"今日泥雨,道路难行,我或倾倒,瓶破失尽;今并出酥[1],若我当倒,所失无几。"一人少智,全持诣市。中路泥滑,二人俱倒。一人愁忧涕泣,宛转卧地;一人都无愁色,亦不懊恨。有人问言:"汝等二人酪瓶俱破,所失亦等,彼此无异。何故一人独愁,涕泣懊恨,一人静然,都无恨色?"一人答曰:"我所持酪都未出酥,今日瓶破所失荡尽,是以懊恨,不能自胜。"一人答言:"我所持酪,先已出酥。今瓶虽坏,所失无几,是以坦然,无所恨也。"

瓶喻身也,酥喻财物也。有人悭贪,吝惜财物,贪求现利,不念非常,身瓶顿坏,财物失尽,喻若彼人忘失酥酪,懊恼追恨,悔无所及;有人深信后世果报,所有财物并用惠施,身瓶虽坏,丧失无几,亦如彼人酪瓶虽坏,所失甚少,其心坦然,无所追恨。

【注释】

[1]出酥:从乳酪里撇出酥油。

14.草木皆可为药喻

天下草木皆可为药,直[1]不善别者,故不知耳。昔有圣医王,名曰耆域,能和合药草作童子形,见者欢喜,众病皆愈。或以一草治众病,或以众草治一病,天下之草无有不任用者,天下之病无有不能治者。

耆域命终,天下药草一时涕哭,俱发声言:"我皆可用治病,唯有耆域能明我耳!耆域死后,无复有人能明我者。后世人或能错用,或增或减,令病不差[2],令举世人皆谓我不神。思惟此,以故涕哭耳。"唯有一诃梨勒[3],别在一面,独不涕哭,自言:"我众病皆能治,服我者病皆当差,不服我者自不差耳。不须人明,故不涕耳。"

耆域者喻如佛也,众药草者如诸法也,诃梨勒者如非常也。言佛在世时,善用法能,即以淫怒痴为药差人病也;及诸余善法,随宜而用,无常轨[4]已,喻病者良医耳。佛去世后,少有能善用诸法应时而变者也。非常观者,多所治也,亦能治淫,亦能治恚,亦能治痴。善用者则去病,不善用者无所伤,是故喻如诃梨勒也。其余诸法不易用也。用之者,宜必得其师。善用者则病损,不善用者则增病也。

【注释】

[1]直:只是。

[2]差:通"瘥",痊愈。

[3]诃梨勒:梵语 haritaki,意译"天主持来"。植物名,又名

"诃子",可入药,与余甘子、毗醯勒、毕钵梨、胡椒合称"五药"。

[4]常轨:惯用的方法。

15.王好布施喻

昔有一国王深识罪福,信有果报,常好布施,不逆人意,名流四远,无不闻知。时邻境起兵,以袭其国。王自思惟:若我出战,必伤害;宁自丧身,不枉[1]百姓。

彼军已至,从城东门入,王便从西门出。单独一身,逃奔林野。时有一婆罗门从远方来,路由林间,遇值此王,即时二人对相问讯。王问婆罗门:"汝从何来,欲何所往?"婆罗门曰:"我闻某甲国王,志好布施,不逆人意,故从远来,欲有所求。"王即答言:"君所言者,我身是也。"婆罗门闻之惊怪,即问王曰:"王今如此,其故何耶?"时王具以事情向婆罗门说。婆罗门闻之,躃地绝死[2],良久,王即扶起,以水洒之,然后乃苏。王问之曰:"何故若是?"婆罗门言:"我自昔贫,穷乏无财,故从远来,欲乞财宝。如何今日值王如此?故懊恼不自堪胜。"

王即慰喻婆罗门:"汝莫愁忧,我当令汝大得财宝。彼异王者,虽得我国,未获我身。宣令遐裔[3],赠募甚重。汝便可缚我身,送诣王门。彼王欢喜,必重赏汝。"

于是婆罗门即如其言,以草索绳缚其两手,送诣王门。门人见之,速入白王。王闻惊喜,即命令前门士即将所摄王身及婆罗门诣王坐前。王问婆罗门:"汝有何术,能致此人?"婆罗门答:"我无他述。此人本为王时,志好布施,故从远来,欲有所乞。于林树间遇值相见,彼问我言:'欲何所至?'时我答言:'欲

148

至某甲国王所。’彼答我言：‘某国王者我身也。’我闻是语，即时绝死，了不自觉。彼扶我起，以水洒之，复问我言：‘汝何故至此？’我答言：‘宿世不施，生世贫穷，故从远来，欲乞财宝，本愿不遂，故自懊恼耳。’彼劳我言：‘勿生勒念[4]，吾当以身给汝所须。’便语我言：‘汝可持绳，缚我两臂，送诣王门。彼王自当赏赐汝也。’”

时王闻婆罗门语，即便泪出，避席[5]下坐，语本王言："汝真人王，我为贼也。"于是摄[6]其所领[7]，还归本国。前王复位，令行如故。

此明菩萨本为凡人，所行至德，其事如是。若有书持经卷，至心如是，天及恶人，终不得便也。

【注释】

[1]枉：使白白死去。

[2]绝死：昏死过去。

[3]遐裔：边远之地。裔，边。

[4]勒念：绝望的念头。

[5]避席：为表示尊敬，要离开座席而伏于地的礼节。

[6]摄：率领。

[7]所领：(所率领的)部下。

16.有二种贼喻

有二种贼：一者手力贼，二者方便贼。手力贼，手自凿壁，或作师子头，或作莲花形。入舍取物，不尽持去，要少多留，欲令主人得生活也,欲使人称此是好贼。还自变服,与诸人俱至失物家看。时彼众人见贼凿壁处,皆言此是巧贼。时有一方便贼微[1]梵志服,亦在其中,便作是言:"此非巧贼,用力多而得物少,云何为巧?要不用力而得物多,尔乃为巧。"时手力贼密着心中,待众人去,随而问之:"云何为方便贼?"答言:"汝欲知者,但随我行,一月余日,当使汝见。"

于是方便贼便方便微梵志服,造[2]一大富长者家,告长者言:"我须少物,能与我者不亦佳乎?"时长者谓索一衣直[3],便即答言:"当相给与。"未得之间,续后重往言:"君前许我者,意定可得不?"长者答言:"当令必得。"如是至三已,便作文书,诣官言之,言:"某甲长者负我十万两金,不欲还我。"贼便取长者怨家[4]以为时人。时官录其时人并长者身,问时人言:"实尔不?"时人答言:"实尔也。"官遂令长者输金[5]与此梵志,方便贼不用手力而大得物。

随喜[6]亦尔也。

【注释】

[1]微:改穿。

[2]造:拜访。

[3]一衣直:一件衣服的钱。"直"通"值"。

[4]怨家:冤家、仇人。

[5]输金:给钱。

[6]随喜:指随人布施,因布施可生欢喜之心,故称随人布施为"随喜"。

《大庄严经》[1]

[后秦]鸠摩罗什 译

1.难陀王

我昔曾闻,有一国王,名曰难陀。是时此王聚积珍宝,愿至后世。嘿[2]自思惟:"我今当集一国珍宝,使外无余。"贪聚财故,以自己女,置淫女楼上,敕侍人言:"若有人赍宝来求女者,其人并宝将至我边。"如是集敛一国钱宝,悉皆荡尽,聚于王库。

时有寡妇,唯有一子,心甚敬爱。而其此子见于王女,仪容镶玮,姿貌非凡,心甚耽著[3]。家无财物,无以自通,遂至结病,身体羸瘦,气息微惙[4]。母问子言:"何患乃尔?"

子具以状启白于母:"我若不得与彼交往,定死不疑。"

母语子言:"国内所有一切钱宝尽无遗余,何处得宝?"复更思惟:"汝父死时,口中有一金钱。汝若发壙[5],可得彼钱,以用自通。"

即随母言,往发父冢,开口取钱。既得钱已,至王女边。尔时王女遣送此人并所与钱以示于王。王见之已,语此人言:"国内金宝一切荡尽,除我库中,汝于何处得是钱来?汝于今者必得伏藏。"

种种拷楚,征得钱处。此人白王:"我实不得,地中伏藏。我母示我,亡父死时,置钱口中。我发壙取,故得是钱。"

时王遣人往捡虚实。使人既到,果见死父口中钱处,然后方信。王闻是已而自思忖:"我先聚集一切宝物,望持此宝,至于后世。彼父一钱尚不能得,赍持而去,况复多也。"[6](《大庄严经》第十五经)

【注释】

[1]《大庄严经》:或称《大庄严论》《庄严论》。是古印度高僧马鸣菩萨所撰写的论,后秦鸠摩罗什译,全书共十五卷,收在《大藏经》的本缘部之中。原书共有八十九个故事,以历史传记、寓言故事等体裁方式譬喻叙述种种因缘劝喻世人,宣传佛教的道理。其中八十则的故事甚至以类似佛经的形式:经首以"我昔曾闻"作为开场白。

[2]嘿(mò):同"默"。

[3]耽著:沉湎其中。

[4]微惙:形容奄奄一息。

[5]墢(péng):本意是尘土,此处指坟冢。

[6]钱财是外财,人生命终结的时候是无法带走的。《大智度论》说道:"富贵虽乐,一切无常,五家所共,令人心散,轻躁不定。"奔波一生,苦追钱财只会徒增贪欲,带来灾祸。

2.三归依

我昔曾闻,有一比丘,常被盗贼。一日之中,坚闭门户。贼复来至,扣门而唤,比丘答言:"我见汝时,极大惊怖。汝可内手,于彼向中,当与汝物!"

贼即内手置于向中。比丘以绳系之于柱。比丘执杖，开门打之。打一下已，语言："归依[1]佛。"

贼以畏故，即便随语："归依于佛"。

复打二下，语言："归依法。"

贼畏死故，复言："归依法。"

第三打时，复语之言："归依僧。"

贼时畏故，言："归依僧。"

即自思惟："今此道人，有几归依？若有多者，必更不见此阎浮提，必当命终。"尔时比丘，即放令去。

以被打故，身体疼痛，久而得起。即求出家。有人问言："汝先作贼，造诸恶行，以何事故，出家修道？"

答彼人言："我亦观察佛法之利，然后出家。我于今日遇善知识，以杖打我三下。唯有少许命在不绝。如来世尊实一切智者。若教弟子四归依者，我命即绝。佛或遥见斯事，教出比丘，打贼三下，使我不死。是故世尊唯说三归，不说四归佛愍我故，说三归依，不说四归。"即说偈曰："决定一切智，以怜愍我故，是以说三归，不说有第四。为于三有[2]故，而说三归依。若当第四者，我则无归依，我今可怜愍，身命于彼尽，我见佛世尊，远睹如斯事，生于未曾有，是故舍贼心。有因粗事解，或因细事悟。粗者悟粗事，细者解细事。由我心麤[3]故，因麤事解悟。我解斯事故，是以求出家。"[4]（《大庄严经》第四十经）

【注释】

[1]归依：归顺依附，信仰。

[2]三有：有，梵语 bhava，其义分类是欲有、色有、无色有。

义同三界。欲有，欲界天、人、修罗、畜生、饿鬼、地狱，各随其业因而受果报，称为欲有。色有，色界四禅诸天，虽离欲界粗染之身，而有清净之色，称为色有。无色有，无色界四空诸天，虽无色质为碍，亦随所作之因，受其果报，称为无色有。处于其中便不能脱离"生死轮回"。

[3]麤(cū)：同"粗"。

[4]三皈依的实质是："除佛外，无究竟导师；除法外，无真实道路；除僧伽外，无他伴可同行法道的"认知。皈依的根本乃在于虔诚与慈悲——对佛法僧三宝充满虔信，并以慈悲祈愿一切众生都能脱离痛苦。

3.吉相

我昔曾闻，有一比丘诣檀越家，时彼檀越[1]既嚼杨枝以用漱口，又取牛黄[2]用涂其额，捉所吹贝戴于顶上，捉毗勒果[3]以手擎举，以著额上用为恭敬。

比丘见已而问之言："汝以何故作如是事？"

檀越答言："我作吉相。"

比丘问言："汝作吉相有何福利？"

檀越答言："是大功德汝今试看，所云吉相能使应死者不死，应鞭系者皆得解脱。"

比丘微笑而作是言："吉相若尔，极为善哉！如是吉相为何从来为出何处？"

檀越答言："此牛黄者乃出于牛心肺之间。"

比丘问言："若牛黄者能为吉事，云何彼牛而为人等绳拘穿鼻,耕驾乘骑,鞭挞锥刺,种种挝打,饥渴疲乏,耕驾不息?"

檀越答言:"实有是事。"

比丘问言:"彼牛有黄尚不自救,受苦如是,云何乃能令汝吉耶?"即说偈言:"牛黄全在心,不能自救护,况汝磨少许,以涂额皮上,云何能拥护?汝宜善观察。"

时彼檀越思惟良久默不能答。

比丘又问:"此名何物?白如雪团,为从何出?以水浸渍,吹乃出声。"

檀越答言:"名为贝,因海而生。"

比丘问言:"汝言贝者,从海中出置舍陆地,日暴苦恼经久乃死。"

檀越答言:"实尔。"

比丘语言:"此不为吉。"即说偈言:"彼虫贝俱生,昼夜在贝中,及其虫死时,贝不能救护,况今汝暂捉,而能为吉事?善哉如此事,汝今应分别,汝今何故尔,行于痴道路?"

尔时檀越低头默然思不能答。

比丘念言:"彼檀越者意似欲悟,我今当问。"

告檀越言:"世人名为如欢喜丸者,为是何物?"

檀越答言:"名毘勒果。"

比丘告言:"毘勒果者是树上果,人采取时以石打之,与枝俱堕,由是果故树与枝叶,俱共毁落。为尔不耶?"

檀越答言:"实尔。"

比丘语言:"若其尔者,云何汝捉便望得吉?"即说偈言:"此果依树生,不能自全护,有人扑取时,枝叶随殒落,又采用作薪,乾则用然火。彼不能自救,云何能护汝?"[4](《大庄严经》

第五十五经）

4.换水

我昔曾闻:有一老母,背负酥[1]缸,在路中行,见庵摩勒树[2],即食其果。食已患渴,寻时赴井,乞水欲饮。时汲水者便与水。以先食庵摩勒果之势力故,谓水甘甜,味如石蜜。语彼人言:"我以酥缸,易汝缸水。"

尔时汲水人即随其言,与一缸水。老母得已,负远归家。既至其舍,以先食庵摩勒势力已尽,取而饮之,唯有水味,更无异味。即聚亲属,咸令尝之,皆言:"是水有朽败烂绳汁泥塈[3]臭秽、极为可恶。汝今何故持来至此?"既闻斯语,自取饮尝,深生悔恨:"我何以故,乃以好酥易此臭水!"

一切众生凡夫之人亦复如是。以愚无智故。以未来世功德酥巩贸易臭秽四颠倒巩[4]。谓之为好。于后乃知非是真实。深生悔恨。咄哉!何为以功德酥巩贸易颠倒臭秽之水?而说偈言:

156

"咄哉我何为,以三业[5]净行,贸易着诸有,如以净好酥,贸彼臭恶水,以食庵摩勒,舌倒不觉味,臭水为甘露。"[6](《大庄严经》第八十经)

【注释】

[1]酥:牛羊奶凝固的薄皮儿。

[2]庵摩勒树:又名为余甘子,我国有"甜藤",初入口极苦,然饮水则味甘。

[3]泥涅:烂泥。

[4]四颠倒瓨:指凡夫对于生死有为法所执之四种谬见,包括常颠倒、乐颠倒、我颠倒和净颠倒,即凡夫不知此迷界之真实相,而于世间之无常执常、于诸苦执乐、于无我执我、于不净执净。瓨:长颈的瓷坛类容器。

[5]三业:身、口、意三业。身业,指身所作及无作之业,有善有恶,若杀生、不与取、欲邪行等为身恶业;若不杀、不盗、不淫,即为身善业。口业,又作语业,指口所作及无作之业,有善有恶,若妄语、离间语、恶语、绮语等为口恶业;若不妄语、不两舌、不恶语、不绮语则为口善业。意业,指意所起之业,有善有恶,若贪欲、嗔恚、邪见等为意恶业;若不贪、不嗔、不邪见则为意善业。此外,另有非善非恶、无感果之力的无记之身口意三业。

[6]酥比喻每个人本来就有的"真心",修行中人受外道蛊惑,放弃了持戒,丢失了自己的本有的真心,换来了臭水所代表的歪理恶念,实在可惜。

5.水中影

我昔曾闻：有一长者妇，为姑所瞋，走入林中，自欲刑戮。即不能得，寻时上树，以自隐身。树下有池，影现水中。时有婢使，担瓨[1]取水。见水中影，谓为是己有。作如是言："我今面貌，端正如此，何故为他，持瓨取水。"即打瓨破，还至家中。语大家言："我今面貌端正如是，何故使我担瓨取水？"

于时大家作如是言："此婢或为鬼魅所著，故作是事。"更与一瓨，诣池取水，犹见其影，复打瓨破。时长者妇，在于树上，见斯事已，即便微笑。婢见影笑，即自觉悟。仰而视之。见有妇女，在树上微笑。端正女人，衣服非己，方生惭耻。

以何因缘，而说此喻？为于倒见愚惑之众。譬如蒼蔔[2]油香，用涂顶发，愚惑不解，我顶出是香。即说偈言："末香以涂香，并熏衣缨珞[3]。倒惑心亦尔，谓从己身出。如彼丑陋婢，见影谓己有。"[4]（《大庄严经》第八十一经）

【注释】

[1]瓨(xiáng)：长颈的瓷坛类容器。

[2]蒼蔔：栀子花油。

[3]缨珞：衣服上的装饰品。

[4]如同水中的倒影一般，人们容易被外在的种种事物所困扰，被假象所迷惑，只有秉持"真心"才能看破假象，回归自我。

6.猫食

猫生儿,以小渐大。猫儿问母:"当何所食?"

母答儿言:"人自教女[1]。"

夜至他家,隐瓮器间。有人见已,而相约敕:"酥、乳、肉等,极好覆盖,鸡雏高举,莫使猫食!"

猫儿即知:鸡、酥、乳酪,皆是我食。[2](《大庄严经》第八十二经)

【注释】

[1]女:同"汝",你。

[2]讽刺世间法,认为一切礼法政教只能得到反面的效果。如同人们互相说要藏好食物防备猫偷吃,反而告诉了小猫什么是它们的食物。

7.战马

我昔曾闻,有一国王多养好马。会有邻王,与共斗战。知此国王有好马故,即便退散。尔时国王作是思惟:"我先养马,规拟[1]敌国。今皆退散,养马何为?当以此马用给人力,令马不损,于人有益。"作是念已,即敕有司[2],令诸马群,分布与人。常使用磨,经历多年。其后邻国复来侵境。即敕取马,共彼斗战。马用磨故,旋转而行,不肯前进。设加杖捶,亦不肯行。众生亦尔。若得解脱。必由于心。谓受五欲。后得解脱。死敌既至。心意恋着五欲之乐。不能直进得解脱果。即说偈言:"智能宜调心,勿令着五欲,本不调心故,临终生爱恋,心既不调顺,云何得寂静,心常耽五欲,迷荒不能觉,心既不调顺,云何得寂静,心常耽五欲,迷荒不能觉,如马不习战,对战而旋行。"(《大庄严经》第八十五经)

【注释】

[1]规拟:计划。

[2]有司:泛指官吏。

8.留子

曾闻有二女人,俱得庵罗菓[1]。其一女人食不留子,有一女人食菓留子。其留子者,觉彼菓美,于良好田下种著中,以时溉灌,大得好菓。如彼世人为善根本,多修善业,后获果报。合子食者,亦复如人不识善业,竟不修造,无所获得,方生悔恨。

即说偈言:"如似得菓食,竟不留种子,后见他食菓,方生于悔恨;亦如彼女人,种子种得菓,复生大欢喜。"[2](《大庄严经》第八十七经)

【注释】

[1]庵罗菓(guǒ):(植物)果名。又作庵婆罗,庵罗(波利),庵没罗等。维摩经佛国品什注曰:"庵罗树,其果似桃非桃也。"菓,同"果"。

[2]世人修行应如食果留子的女子那样,多修善业,将善业持续下去,福报才能延续不断。

《出曜经》[1]

[后秦]竺佛念[2]译

1. 马驹

昔大月支国风俗常仪，要当酥煎麦食猪。时宫马驹谓其母曰："我等与王致力，不计远近，皆赴其命，然食以草乌，饮以潦水[3]。"马告其子："汝等慎勿兴此意，羡彼酥煎麦耶？如是不久，自当现验。"

时逼节会，新岁垂至。家家缚猪，投于镬[4]汤；举声号唤。马母告子："汝等颇忆酥煎麦不乎？欲知证验，可往观之。"

诸马驹等知之审然。方知前愆[5]，为不及也。虽复食草，时复遇麦，让而不食。(《出曜经》卷十《利养品第十三》)

【注释】

[1]《出曜经》：共三十卷三十四品，后秦竺佛念译。"出曜"可能是译自十二部经之一的阿波陀那，即谓本经系以譬喻或寓言方式说奈远甚妙之教义。《出曜经》内容是对《法句经》所作的解释，因此也被看作是《法句经》的一种版本。其中的偈颂，多与维只难译《法句经》一致，而用以解释偈颂的因缘故事则与法炬、法立共译的《法句譬喻经》相符，惟前者所举较后者为广。

[2]竺佛念:凉州人,晋代著名译师。早年出家,志业清坚,外和内朗,有通敏之鉴,讽习众经,粗涉外典。其苍雅诂训,尤所明达。少好游方,备观风俗,前秦建元年间入长安,曾助僧伽跋澄、昙摩难提翻译多部佛经。慧皎在《高僧传》卷一中称赞他"自世高、支谦以后,莫逾于念,在符、姚二代,为译人之宗"。

[3]潦水:雨水。

[4]镬(huò):古代大锅。

[5]愆:错误,过失。

2.鹿野苑

昔佛在婆罗奈国仙人鹿野苑中,河名婆犁。因彼名故,故名婆罗奈国。仙人鹿野苑者,诸有神仙得道、五通学者,皆游学彼国,纯善之人,非凡夫所住。时彼国王出野游猎,值群鹿千头悉入网裹。王布步兵,围绕一匝,群鹿惊惧,有失声、唐突于弶[1],或有伏地自隐形者。释迦文佛昔为菩萨时,生彼群鹿中,为众导首。告诸群鹿:"汝等安意,勿怀恐惧。吾设方便,向王求哀,必得济命,各令无他。"

时鹿王即向人王下膝求哀。王遥见之,敕诸左右,各勿举手伤害此鹿。鹿复举声跪向王曰:"今观王意欲杀千鹿,一日供厨。今且盛热,肉叵久停。愿王哀愍,日杀一鹿,以供厨宰;不烦王使,鹿自当往,诣厨受死。肉供不断,鹿得增多。"王问鹿曰:"汝在群鹿中最为长大耶?"答曰:"如是,最为长大。"王复问鹿:"汝审实不。"答曰:"审实。"王即舍鹿,摄阵入城。

时菩萨将鹿五百，调达亦将鹿五百，日差一鹿，诣王供厨。时次[2]调达遣鹿诣王，值一鹿母怀妊数月，次应供厨。鹿母向王自陈哀苦："次应供厨，诚不敢辞。今垂欲产与子分身，我次应至，子次未至。愿见差次，小听在后。"调达恚曰："何不速往，谁能代汝先！"鹿母哀泣，悲鸣唤呼，辄就菩萨自陈启曰："怀妊日满，产日垂至，愿王开恕，听在后次，分身适讫，自当诣厨。"菩萨问鹿："汝主听汝自陈不？"答曰："主不见听。"菩萨闻已，八九叹息，慰劳彼鹿："汝且自安，勿怀恐惧，吾今代汝以供厨宰。"菩萨鹿王即召千鹿，恳切诫敕："汝等各各勿怀懈慢，亦莫侵王秋苗谷食。"调达闻已，嗔彼鹿母："汝死应至，何为辞诉，不时就死？"时菩萨寻语调达："止，止！勿陈此言。鹿母诚应次死，但为愍彼胎子未应死耳。吾今当代，济彼胎命。"菩萨所念，群鹿跪向菩萨，各各自陈："吾等愿欲代王受死。王在我存，得食水草，随意自游，无所畏忌。"王遂意盛，舍而诣厨，群鹿追逐随到王宫。鹿王就厨，自求供宰。厨士见鹿王，分明识知，即往白王："鹿王入厨，次应供宰，不审大王为可杀不？"王闻斯语，自投床下，诸臣水洒，扶令还坐。王敕诸臣："速将鹿王来，吾欲见之。"寻将至王所，王问鹿曰："千鹿尽耶？汝何为来？"鹿白王言："千鹿孚乳[3]，遂成大群，日有增多，无有减少。"复向人王说鹿根原，王自垦[4]责，自怨不及：吾为人王，不别真伪，枉杀生类，乃至于斯。王告大臣："普令国界，其有游猎杀害鹿者，当取诛戮。"即遣鹿王，将诸群鹿还山自安，复令国内不得食鹿肉，其有食鹿肉者，当枭其首，因是立名鹿野苑也。(《出曜经》卷十四《道品之二》)

【注释】

[1]唐突于猄(jiàng)：冲撞罗网。猄，捕捉老鼠、雀鸟等的工具。

[2]次：轮到。

[3]孚乳：养育。孚，禽鸟孵卵。

[4]垦：通"恳"。

3.鬼王

昔有噉人鬼，在人中作王，恒食人肉，以为厨宰。邻国征伐，得九十九王，二十一人以为常则。九十九王白罗刹王曰："邻国有王，名曰善宿，好行施惠，修菩萨德，有所求索，不逆人意，大王设能擒获彼者，我等甘心受死，万无一恨。"尔时罗刹人王，即起鬼兵，往伺其便。

正值善宿大王在外园观浴池游戏，有一梵志[1]辞家外学。夫梵志之法，临辞去时，白父母言："我今离家，追伴学问，计还之日且未有期。设财货穷乏，从王举贷，我还当偿。"其人学问以得成就，来至家中，但见空屋，不见人众，即问邻比："我今父母、兄弟、姊妹竟为所在？"邻比报曰："汝学之后，举王财贿，无以当偿，为王所系，今在牢狱。欲往看者，宜知是时。"其人自念：家穷事狭，无有财宝，设我诣狱亲觐父母，复当拘执，同受其苦，不免王法；宜令在外，改形易服，窃行求索，毕偿官物，乃得出身耳。其人复念：邻国有王号善宿，修行道德，施心不绝，当往至彼，至诚告情，必不见违，足偿王物。寻往至彼，随王乞索。王言："大佳，当相供给，须吾沐浴讫当惠施。小停勿忧，不负言信。"王诣浴池，为鬼兵所擒。王寻还顾，悲戚涕零。鬼王

164

问曰:"我等闻王仁和博爱,靡不周济,虽遭厄困,何为悲戚?"王报鬼曰:"我生惠施,未曾有悔。向有梵志在外乞索,许而未与,是以忧戚[2]耳。"鬼王白王:"王守诚信,由来不改,如今放王,施讫时还,乃知王心不失诚信。"王得还宫,开藏惠施,恣彼人意,寻还就信[3],诣鬼王所。鬼王告曰:"汝不畏吾乎。何为受死而来?"尔时善宿大王向彼鬼王而说斯偈:"作福不作恶,皆由宿行法,终不畏死径,如船截流渡。"

鬼王闻之,内怀惭愧,改心易行,思修善本,即告善宿王曰:"今闻所说,人中难有,今放九十九王,我舍此位,愿王统领,以法治化。我领鬼众,还归本居住。若俱健者,自当数觐[4]。"即共离别,各还所在。万民称庆,国界清泰,共行十善,不修恶业。善宿积行不息,后得成佛于树王下。复说斯偈:"作福不作恶,皆由宿行法,终不畏死径,如船截流渡。"(《出曜经》卷二十五《恶行品二十九》)

【注释】

[1]梵志:指婆罗门,印度古代四个种姓之一。

[2]戚:通"慽",忧愁。

[3]就信:前来实践承诺。

[4]数觐:经常朝见。

《贤愚经》[1]

[北魏]慧觉[2]等 译

1.梵天请法六事品·尸毗王救鸽(节选)

过去久远,阿僧祇劫[3],于阎浮提,作大国王。名曰尸毗。王所住城号提婆拔提,丰乐无极。时尸毗王主阎浮提八万四千诸小国土,六万山川,八千亿聚落。王有二万夫人婇女,五百太子,一万大臣。行大慈悲,矜及一切。

时天帝释五德[4]离身,其命将终,愁愦不乐。毗首羯摩[5]见其如是,即前白言:"何为慷慨,而有愁色?"

帝释报言:"吾将终矣,死证已现。如今世间,佛法已灭,亦复无有诸大菩萨,我心不知何所归依,是以愁耳。"

毗首羯摩白天帝言:"今阎浮提有大国王,行菩萨道,名曰尸毗,志固精进,必成佛道。宜往投归,必能覆护,解救危厄。"

天帝复白:"若是菩萨,当先试之,为至诚不。汝化为鸽,我变作鹰,急追汝后,相逐诣彼大王坐所,便求拥护。以此试之,足知真伪。"

毗首羯摩复答天帝:"菩萨大人,不宜加苦,正应供养,不须以此难事逼也。"

尔时帝释,便说偈言:"我亦非恶心,如真金应试。以此试菩萨,知为至诚不。"

说是偈已，毗首羯摩自化为鸽，帝释作鹰，急追鸽后，临欲捉食。时鸽惶怖，飞趣大王，入王腋下，归命于王。鹰寻后至，立于殿前，语大王言："今此鸽者，是我之食，来在王边。宜速还我，我饥甚急。"

尸毗王言："吾本誓愿，当度一切。此来依我，终不与汝。"

鹰复言曰："大王今者云度一切，若断我食，命不得济。如我之类，非一切耶？"

王时报言："若与余肉，汝能食不？"

鹰即言曰："唯得新杀热肉，我乃食之。"

王复念曰："今求新杀热肉者，害一救一，于理无益。"内自思惟，唯除我身，其余有命，皆自护惜。即取利刀，自割股肉，持用与鹰，贸此鸽命。

鹰报王曰："王为施主，等视一切。我虽小鸟，理无偏枉。若欲以肉贸此鸽者，宜称使停。"

王敕左右，疾取称来，以钩钩中，两头施盘，即时取鸽，安着一头，所割身肉，以着一头。割股肉尽，故轻于鸽。复割两臂两胁。身肉都尽，故不等鸽。尔时大王举身自起，欲上称盘，气力不接，失跨堕地，闷无所觉，良久乃稣。自责其心："我从久远，为汝所困，轮回三界[6]，酸毒备尝，未曾为福。今是精进立行之时，非懈怠时也！"

种种责已，自强起立，得上称盘，心中欢喜，自以为善，是时天地六种震动，诸天宫殿皆悉倾摇。乃至色界诸天同时来下，于虚空中见于菩萨行于难行，伤坏躯体，心期大法，不顾身命。各共啼哭，泪如盛雨。又雨天华，而以供养。尔时帝释还复本形，住在王前，语大王曰："今作如是难及之行，欲求何等？汝

167

今欲求转轮圣王[7]？帝释？梵王[8]？三界之中，欲求何等？"

菩萨答言："我所求者，不期三界尊荣之乐。所作福报，欲求佛道。"

天帝复言："汝今坏身，乃彻骨髓，宁有悔恨意耶？"

王言："无也。"

天帝复曰："虽言无悔，谁能知之？我观汝身战掉不停，言气断绝，言无悔恨，以何为证？"

王即立誓："我从始来，乃至于今，无有悔恨大如毛发。我所求愿，必当果获。至诚不虚如我言者，令吾身体即当平复！"

作誓已讫，身便平复，倍胜于前。天及世人，叹未曾有，欢喜踊跃，不能自胜。

尸毗王者，今佛身是也。世尊往昔为于众生不顾身命，乃至如是。[9]（《贤愚经》卷一《梵天请法六事品第一》）

【注释】

[1]《贤愚经》：又称《贤愚因缘经》。全书共分十三卷、六十九品，是叙述关于圣贤凡愚的种种因缘故事的典籍。北魏太平真君六年凉州僧人慧觉等译。据《出三藏记集》第九（同第五十五卷第六七页）的贤愚经记所载，此经是河西沙门昙觉、威德等八人为寻经典而入阗，在大寺般遮于瑟会上，遇人讲说三藏，各自译出自己所闻，返高昌后，再汇辑为一部。本经的影响颇为广泛。在汉文撰集的《法苑珠林》《经律异相》等中，常引用到它。书中"尸毗王救鸽"和"王子摩诃萨埵"的经典故事都在敦煌壁画中有所呈现，可见《贤愚经》的故事是流传很广，对后世影响很深的。

[2]慧觉：又称昙觉，凉州人。风神爽悟，戒地清拔。曾于于阗国得梵本，北魏太武帝太平真君六年(445年)返回高昌国，与沙门威德共译贤愚因缘经十三卷。

[3]阿僧祇劫：梵文音译，义译为无数。劫亦为梵文音译，"劫波"的略称，意为极久远的时节。古印度传说世界经历若干万年毁灭一次，重新再开始，这样一个周期叫做一"劫"。"劫"的时间长短，佛经有各种不同的说法。一"劫"包括"成""住""坏""空"四个时期，叫做"四劫"。到"坏劫"时，有水、火、风三灾出现，世界归于毁灭。

[4]五德：释尊说无量寿经，入大寂定，现五德之瑞相。即：住奇特法，住佛所住，住导师行，住最胜道，行如来德五种，称为五德。

[5]毗首羯摩：印度的工艺之神。是帝释天之臣，相传此天能化作种种工巧物，且司天上建筑之事。

[6]三界：指众生所居之欲界、色界、无色界。此乃迷妄之有情在生灭变化中流转，依其境界所分之三阶级；系迷于生死轮回等生存界(即有)之分类，故称作三有生死，或单称三有。又三界迷苦之领域如大海之无边际，故又称苦界、苦海。

[7]转轮圣王：简称转轮王，或轮王，为世间第一有福之人，于人寿八万四千岁时出现，统辖四天下。

[8]梵王：大梵天王，此一天王深信正法，每逢佛出世，必最先请转法轮，与帝释天同为佛教的护法神。依《大唐西域记》卷四载，佛升忉利天为母说法三月，在返回人间时，大梵王随侍在佛右侧，手执白拂。

[9]佛舍弃自己身上的血肉来救鸽子，实际上是舍弃自己

珍贵的东西去用慈悲心怜悯包容世间众生，他舍弃了肉身而求得了成佛。

2.摩诃萨埵以身施虎品(节选)

乃往久远阿僧只劫,此阎浮提,有大国王,名曰摩诃罗檀囊,秦言[1]大宝,典领小国,凡有五千。王有三子,其第一者名摩诃富那宁,次名摩诃提婆,秦言大天,次名摩诃萨埵,此小子者,少小行慈,矜愍一切,犹如赤子[2]。尔时大王,与诸群臣夫人太子,出外游观,时王疲懈,小住休息。其王三子,共游林间,见有一虎适乳二子,饥饿逼切,欲还食之。其王小子,语二兄曰:"今此虎者,酸苦极理,羸瘦垂死,加复初乳,我观其志,欲自噉子。"

二兄答言:"如汝所云。"

弟复问兄:"此虎今者,当复何食？"

二兄报曰:"若得新杀热血肉者,乃可其意。"

又复问曰:"今颇有人,能办斯事救此生命,令得存不？"

二兄答言:"是为难事。"

时王小子,内自思惟:"我于久远生死之中,捐身无数,唐舍躯命,或为贪欲,或为瞋恚,或为愚痴,未曾为法。今遭福田,此身何在？"设计已定,复共前行。前行未远,白二兄言:"兄等且去,我有私缘,比尔随后。"作是语已,疾从本径,至于虎所,投身虎前;饿虎口噤[3],不能得食。尔时太子,自取利木,刺身出血,虎得舐之,其口乃开,即唊身肉。

二兄待之,经久不还,寻迹推觅,忆其先心,必能至彼,喂于饿虎。追到岸边,见摩诃萨埵死在虎前,虎已食之,血肉涂漫,自扑堕地,气绝而死,经于久时,乃还稣[4]活,啼哭宛转,迷愦闷绝,而复还稣。

夫人眠睡,梦有三鸽,共戏林野,鹰卒捉得其小者食,觉已惊怖,向王说之:"我闻谚言:'鸽子孙者也。'今亡小鸽,我所爱儿,必有不祥。"即时遣人,四出求觅。未久之间,二儿已到,父母问言:"我所爱子,今为所在?"

二儿哽噎,隔塞断绝,不能出声,经于久时,乃复出言:"虎已食之。"

父母闻此,躄[5]地闷绝而无所觉,良久乃稣,即与二儿夫人婇女,驰奔至彼死尸之处。尔时饿虎食肉已尽,唯有骸骨狼藉在地。母扶其头,父捉其手,哀号闷绝,绝而复稣。如是经久时。

摩诃萨埵命终之后,生兜率天,即自生念:"我因何行,来受此报?"天眼彻视,遍观五趣[6],见前死尸,故在山间,父母悲悼,缠绵痛毒,怜其愚惑,啼泣过甚。"或能于此丧失身命,我今当往谏喻彼意。"即从天下,住于空中,种种言辞,解谏父母。父母仰问:"汝是何神?愿见告示。"

天寻报曰:"我是王子摩诃萨埵,我由舍身济虎饿乏,生兜率天。大王当知!有法归无,生必有终;恶堕地狱,为善生天。生死常涂,今者何独没于忧愁烦恼之海,不自觉悟勤修众善?"

父母报言:"汝行大慈,矜及一切,舍我取终;吾心念汝,荒塞寸绝,我苦难计。汝修大慈,那得如是?"

于时天人,复以种种妙善偈句,报谢父母,父母于是小得惺悟[7],作七宝函盛骨着中,葬埋毕讫,于上起塔,天即化去。王及大众,还自归宫。

佛告阿难："尔时大王,摩诃罗檀那者,岂异人乎？今我父王阅头檀是。时王夫人,我母摩诃摩耶是。尔时摩诃富那宁者,今弥勒是。第二太子摩诃提婆者,今婆修蜜多罗是。尔时太子摩诃萨埵,岂异人乎？我身是也。[8]（《贤愚经》卷一《摩诃萨埵以身施虎品第二》）

【注释】

[1]秦言：即汉言,意思是汉译。

[2]赤子：如婴儿般纯洁善良的人。孔颖达疏："子生赤色,故言赤子。"颜师古注《汉书》："赤子,言其新生未有眉发,其色赤。"

[3]口噤：牙关紧急,口不能张开。

[4]稣：同"苏",为死而复生,苏醒,复活。

[5]躄(bì)：扑倒。

[6]五趣：又曰五恶趣,五道等。众生生死轮回的五种境界：一地狱,二饿鬼,三畜生,四人,五天。

[7]惺悟：醒悟,领会。

[8]在无数的生死轮回中肉身不过是一个载体,能够通过贡献出自己的肉体去拯救他人生命,哪怕只是一只老虎,证明了无分别心,对所有生命一视同仁,舍我救他,是一种修行与升华。

3.海神难问船人品

如是我闻：一时佛在舍卫国只树给孤独园。尔时此国有五百贾客,入海采宝,自共议言:"当求明人用作导师。"便请一五戒优婆塞,共入大海。既到海中,海神变身,作一夜叉,形体丑恶,其色青黑,口出长牙,头上火燃,来牵其船,问估客曰:"世间可畏,有过我者无?"贤者对曰:"更有可畏,剧汝数倍。"海神复问:"何者是耶?"答曰:"世有愚人,作诸不善,杀生盗窃淫妷[1]无度,妄言、两舌、恶口、绮语[2],贪欲、瞋恚,没[3]在邪见;死入地狱,受苦万端。狱卒阿傍[4],取诸罪人,种种治之,或以刀斫,或以车裂,分坏其身,作数千段。或复臼捣,或复磨之,刀山剑树,火车镬汤[5],寒水沸屎,一切备受。荷如此苦,经数千万岁,此之可畏,剧汝甚多。"海神放之,隐形而去。

船进数里,海神复更化作一人,形体痟[6]瘦,筋骨相连,复来牵船,问诸人曰:"世间羸瘦,有剧我者无?"贤者答言:"更有羸瘦甚剧于汝。"海神复问:"谁复剧耶?"贤者答曰:"有愚痴人,心性弊恶,悭贪嫉妒,不知布施,死堕饿鬼,身大如山,咽如针鼻,头发长乱,形体黑瘦,数千万岁,不识水谷。如是之形,复剧于汝。"海神放船,没而不现。

船行数里,海神复化更作一人,极为端政,复来牵船,问诸商客:"人之美妙,有与我等者无?"贤者答曰:"乃有胜汝百千万倍。"海神复问:"谁为胜者?"贤者答曰:"世有智人,奉行诸善,身口意业[7]恒令清净,信敬三宝随时供养,其人命终,生于天上,形貌皎洁,端政无双,殊胜于汝数千万倍。以汝方之,如瞎猕猴比彼妙女。"

海神取水一掬,而问之曰:"掬中水多海水多耶?"贤者答曰:"掬中水多,非海水也。"海神重问:"汝今所说,为至诚不?"贤者答曰:"此言真谛[8],不虚妄也。何以明之?海水虽多,必有枯竭。劫欲尽时，两日并出，泉源池流，悉皆旱涸；三日出时，诸小河水，悉皆枯干；四日出时，诸大江海，悉皆枯竭；五日出时，大海稍减；六日出时，三分减二；七日出时，海水都尽，须弥崩坏，下至金刚地际[9]皆悉燋燃。若复有人，能以信心，以一掬水，供养于佛，或用施僧，或奉父母，或丐贫穷，给与禽兽，此之功德，历劫不尽。以此言之，知海为少，掬水为多。"

海神欢喜，即以珍宝，用赠贤者，兼寄妙宝施佛及僧。时诸贾客，即与贤者，采宝已足，还归本国。是时贤者，五百贾客，咸诣佛所，稽首佛足，作礼毕已，各持宝物并海神所寄，奉佛及僧，悉皆长跪叉手白佛："愿为弟子，禀受清化。"佛寻可之。"善来比丘！"须发自落，法衣在身。佛为说法，应适其情，即时开悟，诸欲都净，得阿罗汉。

时诸会者，闻佛所说，皆大欢喜，顶戴奉行。(《贤愚经》卷一《海神难问船人品第五》)

【注释】

[1]妷(yì)：放荡。

[2]妄言、两舌、恶口、绮语：四种口业，即说假话，言语反复，恶语伤人，玩弄文词。

[3]没：沉溺，沉没。

[4]阿傍：鬼卒。

[5]镬(huò)汤：在锅里煮。镬，锅。

[6]痟：同"消"。

[7]身口意业：即三业。身业，指身所作及无作之业，有善有恶，若杀生、不与取、欲邪行等为身恶业；若不杀、不盗、不淫，

即为身善业。口业，又作语业，指口所作及无作之业，有善有恶，若妄语、离间语、恶语、绮语等为口恶业；若不妄语、不两舌、不恶语、不绮语则为口善业。意业，指意所起之业，有善有恶，若贪欲、嗔恚、邪见等为意恶业；若不贪、不嗔、不邪见则为意善业。

[8]真谛：二谛之一，与俗谛合称为"二谛"。亦泛指最真实的意义或道理，真切的理论和精义，奥妙所在原为佛教语。

[9]金刚地际：指山地，比喻坚牢如金刚。

4.波斯匿王女金刚品

如是我闻：一时佛在舍卫国只树给孤独园。尔时波斯匿王最大夫人名曰摩利，时生一女，字波阇罗，晋言[1]金刚，其女面类极为丑恶。肌体粗涩，犹如驼皮。头发粗强，犹如马尾。王观此女，无一喜心，便敕宫内，勤意守护，勿令外人得见之也。所以者何，此女虽丑形不似人，然是末利夫人所生。此虽丑恶，当密遣人而护养之。

女年转大，任当嫁处。时王愁忧，无余方计，便告吏臣："卿往推觅本是豪姓[2]居士种者，今若贫乏，无钱财者，便可将来。"吏即如教。即往推觅，得一贫穷豪姓之子。吏便唤之，将至王所。王得此人，共至屏处[3]，具以情状，向彼人说："我有一女，面状丑恶，欲觅嫁处，未有酬类[4]。闻卿豪族，今者虽贫，当相供给，幸卿不逆，当纳受之。"时长者子长跪白言："当奉王敕，正使大王以狗见赐，我亦当受。何况大王遗体之女[5]。今设见赐，奉命纳之。王即以女，妻彼贫人。为起宫殿，舍宅门合，令有七重。王敕女夫："自捉户钥，若欲出行，而自闭之。我女丑恶，世所未有，勿令外人睹见面状。常牢门户，幽闭在内。"王出财货，一切所须，供给女婿[6]，使无乏短。王即拜授，以为大臣。

其人所有财宝饶益，与诸豪族共为宴会。月月为更，会同之时，夫妇俱诣，男女杂会。共相娱乐。诸人来会，悉皆将妇。唯彼大臣，恒常独诣。众人疑怪："彼人妇者，傥能端政。晖赫曜绝。或能极丑，不可显现，是以彼人，故不将来。"今当设计往观彼妇，即各同心，密共相语，以酒劝之，令其醉卧。解取门钥，便令五人往至其家，开其门户。

当于尔时，彼女心恼，自责罪咎，而作是言："我种何罪？为夫所憎，恒见幽闭，处在暗室，不睹日月及与众人。"复自念言："今佛在世，润益众生，遭苦厄者，皆蒙过度。"即便至心，遥礼世尊。唯愿垂愍，到于我前，暂见教训。其女精诚，敬心纯笃。佛知其志，即到其家。于其女前，地中踊出。现绀发[7]相，令女见之。其女举头，见佛发相，倍加欢喜。欢喜情敬，敬心极深。其女头发，自然细软，如绀青色。佛复现面，女得见之，见已欢喜，面复端政，恶相粗皮，自然化灭。佛复现身，齐腰以上，金色晃昱，令女见之。女见佛身，益增欢喜，因欢喜故，恶相即灭。身体端严，犹如天女，奇妙盖世，无能及者。佛愍女故，尽现其身。其女谛察，目不曾眴[8]。欢喜踊跃，不能自胜。其女尽身，亦皆端政，相好非凡，世之希有，恶相悉灭，无有遗余。佛为说法，即尽诸恶，应时逮得须陀洹道。女已得道，佛便灭去。

时彼五人，开户入内。见妇端政，殊特少双。自相谓言："我怪此人不将来往，其妇端政，乃至如是。"观睹已竟，还闭门户，持其户钥，还彼人所，系着本带。其人醒悟，会罢至家。入门见妇，端政奇妙，容貌挺特，人中难有。见已欣然，问是何人。女答夫言："我是汝妇。"夫问妇言："汝前极丑，今者何缘端政乃尔？"其妇具以上事答夫："我缘佛故，受如是身。"妇复白夫："我今意欲与王相见，汝当为我通其意故。"夫受其言，即往白王："女郎今者，欲来相见。"王答女婿："勿道此事，急当牢闭，慎勿令出。"女夫答王："何以乃尔？女郎今者，蒙佛神恩，已得端政，天女无异。"王闻是已，答女婿言："审如是者，速往将来。"即时严车，迎女入宫。

王见女身端政殊特，欢喜踊跃，不能自胜，即敕严驾。王及夫人、女并女夫，共至佛所。礼佛毕讫，却住一面。时波斯匿王跪白佛言："不审此女，宿殖何福，乃生豪贵富乐之家？复造何咎，受丑陋形，皮毛粗强，剧如畜生。唯愿世尊，当见开示。"佛告大王："夫人处世端政丑陋，皆由宿行罪福之报。乃往过去久远世时，时有大国，名波罗奈。时彼国中，有大长者，财富无量，举家恒共供养一辟支佛。身体粗恶，形状丑陋。憔悴叵看。时彼长者，有一小女，日日见彼辟支佛来。恶心轻慢，呵骂毁言："面貌丑陋，身皮粗恶，何其可憎，乃至如是"时辟支佛，数至其家，受其供养，在世经久，欲入涅盘，为其檀越，作种种变，飞腾虚空，身出水火，东踊西没，西踊东没，南踊北没，北踊南没，坐卧虚空，种种变现。咸使彼家睹见神足。即从空下，还至其家。长者见已，倍怀欢喜。其女即时悔过自责："唯愿尊者，当见原恕。我前恶心，罪衅过厚。幸不在怀，勿令有罪也。"时辟支佛听其忏悔。

佛告大王："尔时女者今王女是，由其尔时恶不善心，毁訾[9]贤圣辟支佛故，自造口过，于是以来，常受丑形。后见神变，自

177

改悔故,还得端正。"英才越群,无能及者由供养辟支佛故,世世富贵,缘得解脱。如是大王。一切众生有形之类。应护身口勿妄为非轻呵于人。

尔时王波斯匿,及诸群臣,一切大众,闻佛所说因缘果报,皆生信敬。自感佛前,以是信心,有得初果,至四果者,有发无上平等意者。复有得住不退转者,咸怀渴仰,敬奉佛教,欢喜遵承,皆共奉行。(《贤愚经》卷二《波斯匿王女金刚品第八》)

【注释】

[1]晋言:指汉语,因本经为晋时所译故。

[2]豪姓:指刹帝利种姓。

[3]屏处:隐秘处。

[4]酬类:同类。酬,同"畴"。

[5]遗体之女:亲生女儿。

[6]女婿(xù):女儿和她的丈夫。婿,古同"婿"。

[7]绀(gàn)发:略显红色的黑发。绀,略带红的黑色。

[8]眴(xuàn):眼花,看不清楚。

[9]訾(zǐ):同"訾",诋毁。

5.降六师品(节选)

乃往过去,无数无量阿僧只劫,此阎浮提,有一国王,名摩诃赊仇利,领五百小国王,有五百夫人,无有太子可以继嗣。王自念言:"吾年转大,无有一子以续国位,若其一旦崩亡之后,诸王臣民,不相承受,便当兴兵枉害民命,国将乱矣,何苦之剧。"念是事已，心没忧海。时天帝释，遥知王忧，即从天下，化作一医，来诣王所，问王忧意；王即如事，宣示语医。化医白王："莫复忧虑！我当为王，往入雪山，采合众药，与夫人服，服药之后，皆当有娠。"

王闻是语，差用释忧，即语医言："能尔者善。"

是时化医，即往雪山，取诸药草，担还王宫，以乳煎之，与大夫人。夫人嫌臭，情又不信，化医归天，后不肯服；余小夫人，尽共分服，服未经久，寻觉有娠。各以情事白大夫人。夫人闻已，情乃忧悔，即问："所服有余残不？"答言："已尽。"复问："前草今者在不？"答言："犹在。"寻敕取乳，更用重煎，持与夫人，夫人便服；服之数日，亦觉有娠。

诸小夫人，月满各生，皆是男儿，端政殊异。王见诸子，欢喜踊跃，悒迟念想于大夫人。夫人月满，亦生一男，面貌极丑，形如株杌[1]，父母见之，情不欢喜，因共号之为多罗睺施，晋言株杌。

敕令养育。年渐长大，其余诸兄，皆已纳娶，唯有株杌，不以意。后会边国，兴兵入界，五百王子，领兵往拒，始战军败，退来趣城。株杌王子，问诸兄言："何以退走如恐怖状？"

兄辈语言："往斗不利，他军见逐，是以走退。"

株杌言曰："如斯军贼，敢见侵倰，取我先祖天寺之中大弓具来，我欲往击。"

其先祖是转轮王，即遣多人，往取舁[2]来，而授与之。取弓舒张，弓声如雷，弹弓之音，闻四十里，持弓捉具，便独往击。到先吹贝，声如霹雳，彼军闻声，惊怖散走，敌退乃还。父王异遇，尔乃爱待，深思方便，欲为婚娶。

时一国王，名律师跋蹉，闻其有女，端政绝世，王即遣使，往告求婚，指其一兄貌状示之，言为此儿，求索卿女。

使奉教到，具誉王辞，律师跋蹉，即许为婚。使还白王，王大欢喜，寻遣车马，往迎将来，自敕株杌："莫昼见妇。"自今以后，常以日暮，乃见交会。

时诸子妇，后共谈语，各叹其夫种种才德。时株杌妇亦叹夫言："我夫猛健力士之力，身又细软，甚可敬爱。"

余妇语曰："汝不须言，汝夫状貌，正似株杌，若汝昼见，足使汝惊。"

株杌妇闻，忆之在心，豫[3]掩一灯，藏着屏处，伺夫卧讫，发灯来着，见其形体，甚用恐怖，即夜严驾，还至本国。天明乃觉，甚用悒戚[4]，捉弓持贝，寻迹逐往，到其国中，依一臣住。

后六国王，闻律师跋蹉有绝妙之女，各贪欲得，兴兵集众，竞共来索。时律师跋蹉，甚用愤恼，令诸群臣博议其事："正欲与一，其余则恨；作何方便，却此凶敌？"有一臣言："当分此女，用作六分，一军与一，其意可息。"

或有臣言："且出重募，有能却军，以女妻之，分国共治，重加赏赐。"

王即然之，便行宣募。时多罗睺施即持弓贝，出城趣贼，吹贝叩弓，六军惊骇，怖不能动，即入军中，斩六王首，夺取冠饰，摄录其众。律师跋蹉，甚用欢喜，以女贡之，奉为大王，领摄七国，一切军兵，将诸士众，与妇还国。父王闻来，往出界迎，见子所领军众极盛，以国让子，劝作大王。其子不肯，云父犹在，理不应尔。

还到宫中，穷责其妇："汝前何以夜弃我亡？"

其妇答言:"君身极丑,初见惊怖,谓非是人。"

多罗瞵施,捉镜自照,乃见身首,熟似株杌,患厌其身,自不喜见,便至林间,乃欲自杀。帝释遥知,即下到边,问所由缘。慰喻其意,与一宝珠,而告之言:"常以此珠,着汝顶上,可得殊异如我端政。"

寻喜奉受,安其顶上,觉身倍异。还至宫中,自取弓具,欲至外戏。妇见不识,寻语之曰:"汝是何人?莫触此物,我夫若来,傥相伤损。"

寻语妇言:"我是汝夫。"

妇殊不信,而语之言:"我夫极丑,汝形端正。汝是何人,说是我夫?"

夫即却珠,还示故形。妇乃惊喜,云何乃尔?夫即具悉,说得珠意。妇自是后,敬爱其夫,株杌之名,从是灭除,便更称之,名须陀罗扇。(《贤愚经》卷二《降六师品第十四》)

【注释】

[1]株杌:树木的残根,形容丑陋。

[2]舁(yú):共同抬东西。

[3]豫:同"预"。

[4]悒戚:忧郁烦闷。

6.长者无耳目舌品

如是我闻:一时佛在舍卫国祇陀精舍,与诸比丘大众说法。尔时国内,有大长者,财富无量,金银七宝,象马牛羊,奴婢人民,仓库盈溢,无有男儿,唯有五女,端正聪达。其妇怀妊,长者命终。时彼国法,若其命终,家无男儿,所有财物,悉应入官。王遣大臣,摄录其财,垂当入官。其女心念:"我母怀妊,未知男女,若续是女,财应属官;若其是男,应为财主。"念已,往白王言:"我父命终,以无男故,财应入王;然今我母怀妊,须待分身,若苟是女,入财不迟,若或是男,应为财主。"

时波斯匿王,住法平整,即可所白,听如其言。其母不久,月满生儿,其身浑沌,无复耳目,有口无舌,又无手足,然有男根,即为作字,名曼慈毗梨。

尔时是女,具以是事,往问于王。王闻是已,思惟其义:"不以眼耳鼻舌手足等,而为财主;乃以男故,得为财主。儿有男根,应得父财。"即告诸女:"财属汝弟,吾不取也。"

尔时大女,往适他家,奉给夫主,谦卑恭谨,拂拭床褥,供设饮食,迎来送去,拜起问讯,譬如婢事大家。比近长者,睹其如是,怪而问言:"夫妇之道,家家皆有,汝独何为改操若兹?"

女子对曰:"我父终没,家财无量,虽有五女,犹当入王;会母分身,生我一弟,无有眼耳舌及手足,但有男根,得为财主。以是义故,虽有诸女,不如一男。是故尔耳。"

长者闻已,怪其如是,即与其女,往至佛所白言:"世尊!彼长者子,以何因缘,无有眼耳舌及手足,而生富家,为此财主?"佛告长者:"善哉问也!谛听善思!当为汝说。""唯然乐闻。"

佛告长者:乃往过去,有大长者兄弟二人,兄名檀若世质,弟名尸罗世质。其兄少小,忠信成实,常好布施,赈救贫乏,以其信善,举国称美,王任此人,为国平事,诤讼[1]典直,由之取决。是时国法,举贷取与,无有券疏,悉诣平事檀若世质,以为明人。时有估客将欲入海,从弟尸罗世质多举钱财,以供所须。时弟长者,唯有一子,其年幼小,即将其子并所出钱,到平事所,白言:"大兄!是估客子,从我举钱,入海来还,应得尔许。兄为明人,我若终亡,证令子得。"平事长者,指言如是。

其弟长者,不久命终。时估客子,乘船入海,风起波浪,船坏丧失,时估客子,捉板得全,还其本国。时长者子,闻其船坏空归,唯见此人,便自念言:"此虽负我,今者空穷何由可得?须有当债。"

时见此估客长者,复与余贾,续复入海,获大珍宝,安隐吉还。心自念言:"彼长者子,前虽见我,不从我债。我举钱时,此人幼稚或能不忆?或以我前穷故不债耶?今当试之。"

即严好马众宝,服饰宝衣乘马入市。长者子见服乘如是,心念此人,似还有财,当试从债,即遣人语言:"汝负我钱,今可见偿。"答言:"可尔。当思宜了。"

估客自念:"所举顿大,重生累息,无由可毕,当作一策乃可了尔。"即持一宝珠,到平事妇所白言:"夫人!我本从尸罗世质举少钱财,其子来从我债,今上一珠,价直[2]十万,若从我债,可嘱平事莫为明人。"

其妇答言:"长者诚信,必不肯尔;为当试语。"即受其珠。

平事暮归,即便具白。长者答言:"何有是事?以我忠信不妄语故,故王立我为国平事,若一妄言,此事不可。"

明估客来具告情状,即还其珠。时估客子,更上一珠,价直二十万,复往白言:"愿使嘱及,此既小事,但作一言,得三十万,彼若得胜,虽复侄儿,无一钱分,此理可通。"

尔时女人,贪爱宝珠,即为受之。暮更白夫:"昨日所白,事亦可通,愿必在意。"

长者答言:"绝无此理。我以可信,得为平事,若一妄语,现世当为世所不信,后世当受无量劫苦。"

尔时长者,有一男儿,犹未能行,其妇泣曰:"我今与汝,共为夫妻,若有死事,犹望不违,嘱此小事,直作一言,当不相从,我用活为?若不见随,我先杀儿,然后自杀。"

长者闻此,譬如人噎,既不得咽亦不得吐,自念:"我唯有此一子,若其当死,财无所付;若从是语,今则不为人所信用,将来当受无量苦恼。"迫蹴[3]不已,即便可之。其妇欢喜,语估客言:"长者已许。"

估客闻之,欣悦还家,严一大象,众宝庄校,着大宝衣,乘象入市。长者子见,心喜念言:"是人必富,服乘乃尔,我得财矣。"即往语曰:"萨薄[4]当知!先所负钱,今宜见偿。"

估客惊言:"我都不忆,何时负君?若相负者,明人是谁?"长者子言:"若干日月,我父及我,手付汝钱,平事为我明人。何缘言不?"估客子言:"我今不念,苟有事实,当还相偿。"

寻共相将,至平事所。长者子言:"此人往日,亲从我父举若干钱,伯为明人,我时亦见。事为尔不?"

答言:"不知。"

其侄惊曰:"伯父尔时,审不见闻,不作是语,此事可尔;不以手足,指是财耶?"

答言:"不尔。"

侄子恚曰:"以伯忠良,王令平事,国人信用,我亲弟子,非法犹尔,况于外人,扛者岂少?此之虚实,后世自知。"

佛告长者:"欲知尔时平事长者,今曼慈毗梨无有耳目浑沌者是。由于尔时一妄语故,堕大地狱,多受苦毒;从地狱出,五百世中,常受浑沌之身。由于尔时好布施故,常生豪富得为财主,善恶之报,虽久不败。是故汝等,当勤精进,摄身口意,莫妄造恶。"(《贤愚经》卷五《长者无耳目舌品第二十四》)

【注释】

[1]诤讼:争辨;争论。诤,通"争"。

[2]直:同"值",价值。

[3]迫蹴:逼迫。

[4]萨薄:来自梵语,意为商主。

7.檀腻羁品 (节选)

乃往过去,阿僧祇劫,有大国王,名阿波罗提目佉[1],晋言端正,治以道化,不抂民物。时王国中,有婆罗门,名檀腻羁,家理空贫,食不充口,少有熟谷,不能治之,从他借牛,将往践治。践谷已竟,驱牛还主。驱到他门,忘不嘱付,于是还归。牛主虽见,谓用未竟,复不收摄。二家相弃,遂失其牛。后往从索,言已还汝,共相诋谩[2]。尔时牛主,将檀腻羁,诣王债牛。

适出到外,值见王家牧马之人,时马逸走,唤檀腻羁为我遮马。时檀腻羁,下手得石,持用掷之,值脚即折;马吏复捉,亦共诣王。

次行到水,不知渡处,值一木工,口衔斫斤[3],褰[4]衣垂越。时檀腻羁,问彼人曰:"何处可渡?"应声答处,其口开已,斫斤堕水,求觅不得;复来捉之,共将诣王。

185

时檀腻羁，为诸债主，所见催逼，加复饥渴，便于道次，从沽酒家，乞少白酒，上床饮之，不意被下有小儿卧，压儿腹溃。尔时儿母，复捉不放："汝之无道，枉杀我儿。"并共持着，将诣王宫。

到一墙边，内自思惟："我之不幸，众过横集，若至王所，傥能杀我；我今逃走，或可得脱。"作是念已，自跳踯墙，下有织公，堕上即死。时织公儿，复捉得之，便与众人，共将诣王。

次复前行，见有一雉住在树上，遥问之曰："汝檀腻羁！今欲那去？"即以上缘向雉说之，雉复报言："汝到彼所，为我白王，我在余树，鸣声不快，若在此树，鸣声哀好。何缘乃尔？汝若见王，为我问之。"

次见毒蛇，蛇复问之："汝檀腻羁！今欲何至？"即以上事，具向蛇说。蛇复报言："汝到王所，为我白王，我常晨朝，初出穴时，身体柔软，无有众痛，暮还入时，身粗强痛，碍孔难前。"

时檀腻羁，亦受其嘱。复见母人，而问之言："汝欲何趣[5]？"复以上事，尽向说之。母人告曰："汝到王所，为我白王，不知何故，我向夫家，思父母舍，父母舍住，思念夫家。"

亦受其嘱。时诸债主，咸共围守，将至王前。尔时牛主，前白王言："此人借我牛去，我从索牛，不肯偿我。"王问之曰："何不还牛？"檀腻羁曰："我实贫困，熟谷在田，彼有恩意，以牛借我，我用践讫，驱还归主，主亦见之，虽不口付，牛在其门，我空归家，不知彼牛竟云何失？"

王语彼人："卿等二人，俱为不是，由檀腻羁口不付，汝当截其舌，由卿见牛不自收摄，当挑汝眼。"彼人白王："请弃此牛，不乐剜眼、截他舌也。"即听和解。

马吏复言："彼之无道，折我马脚。"王便为问檀腻羁言："此王家马，汝何以辄打折其脚？"跪白王言："债主将我，从道而来，彼人唤我，令遮王马，高奔叵御，下手得石捉而掷之，误折马脚，非故尔也。"

王语马吏："由汝唤他，当截汝舌；由彼打马，当截其手。"马吏白王："自当备马，勿得行刑。"各共和解。

木工复前云："檀腻羁失我斫斤。"王即问言："汝复何以失他斫斤？"跪白王言："我问渡处，彼便答我，口中斫斤失堕渠水，求觅不得，实不故尔。"

王语木工："由唤汝故，当截其舌，担物之法，礼当用手，由卿口衔致使堕水，今当打汝前两齿折。"木工闻是，前白王言："宁弃斫斤，莫行此罚。"各共和解。

时酒家母，复牵白王。王问檀腻羁："何以乃尔抂杀他儿？"跪白王言："债主逼我，加复饥渴，彼乞少酒，上床饮之，不意被下有卧小儿。饮酒已讫，儿已命终，非臣所乐。唯愿大王！当见恕察。"

王告母人："汝舍沽酒，众客猥多，何以卧儿置于坐处，覆令不现？汝今二人，俱有过罪。汝儿已死，以檀腻羁，与汝作婿，令还有儿，乃放使去。"尔时母人，便叩头曰："我儿已死，听各和解，我不用此饿婆罗门用作夫也。"于是各了自得和解。

时织工儿，复前白王："此人狂暴，蹹[6]杀我公。"王问言曰："汝以何故，抂杀他父？"檀腻羁曰："众债逼我，我甚惶怖，越[7]墙逃走，偶堕其上，实非所乐。"

王语彼人："二俱不是，卿父已死，以檀腻羁，与汝作公。"其人白王："父已死了，我终不用此婆罗门以为父也。"听各共解,王便听之。

时檀腻羁,身事都了,欣踊无量,故在王前。见二母人,共诤一儿,诣王相言。时王明黠,以智权计,语二母言:"今唯一儿,二母召之,听汝二人,各挽一手,谁能得者,即是其儿。"其非母者,于儿无慈,尽力顿牵,不恐伤损;所生母者,于儿慈深,随从爱护,不忍曳挽。王鉴真伪,语出力者:"实非汝子,强挽他儿,今于王前,道汝事实。"即向王首:"我审虚妄,拄名他儿。大王聪圣!幸恕虚过。"儿还其母,各尔放去。复有二人,共诤[8]白,诣王纷纭,王复以智,如上断之。

时檀腻羁,便白王言:"此诸债主,将我来时,于彼道边,有一毒蛇,殷勤倩[9]我,寄意白王:"不知何故,从穴出时,柔软便易,还入穴时,妨碍苦痛,我不自知何缘有是?"王答之言:"所以然者,从穴出时,无有众恼,心情和柔,身亦如是。蛇由在外,鸟兽诸事,触娆其身,瞋恚隆盛,身便粗大,是以入时,碍穴难前。卿可语之,若汝在外,持心不瞋,如初出时则无此患。"

复白王言:"道见女人,倩我白王:"我在夫家,念父母舍,若在父舍,复念夫家,不知所以何缘乃尔?"王复答言:"卿可语之,由汝邪心,于父母舍更畜傍婿,汝在夫家念彼傍人;至彼小厌,还念正婿,是以尔耳。卿可语之,汝若持心,舍邪就正,则无此患。"

又白王言:"道边树上,见有一雉,倩我白王:"我在余树,鸣声不好,若在此树,鸣声哀和,不知其故何缘如是?"王告彼人:"所以尔者,由彼树下有大釜金,是以于上,鸣声哀好;余处无金,是以住上,音声不好。"

王告檀腻羁:"卿之多过,吾已释汝,汝家贫穷困苦理极,树下釜金,应是我有,就用与汝,卿可掘取。"奉受王教,一一答报。掘取彼金,贸易田业,一切所须,皆无乏少,便为富人,尽世快乐。(《贤愚经》卷十一《檀腻羁品第四十六》)

【注释】

[1]佉:读作 qū。

[2]诋谩:辱骂。

[3]斫斤:斧子。

[4]褰(qiān):撩起。

[5]趣:同"去"。

[6]躐:踩,踏。

[7]越(tiào):同"跳"。

[8]诤:同"争"。

[9]倩(qìng):央求、请人做某事。

8.象护品

如是我闻:一时佛在舍卫国只树给孤独园。尔时摩竭国中有一长者生一男儿,相貌具足,甚可爱敬。其生之日,藏中自然出一金象。父母欢喜,便请相师为其立字。时诸相师见儿福德。问其父母:"此儿生日有何瑞应?"即答之言:"有一金象,与儿俱生。"因瑞立字,名曰象护。

儿渐长大,象亦随大。既能行步,象亦行步。出入进止,常不相离。若意不用,便住在内。象大小便,唯出好金。其象护者,常与五百诸长者子共行游戏。各各自说家内奇事。或有说言:

"我家舍宅床榻坐席，悉是七宝。"或有自说："我家屋舍及与园林，亦是众宝。"复有说言："吾家库藏妙宝恒满，如是之比，种种众多。"是时象护复自说言："我初生日，家内自然生一金象。我年长大，堪任行来，象亦如是。于我无违，我恒骑之，东西游观，迟疾随意，甚适人情。其大小便，纯是好金。"时王子阿阇贳[1]，亦在其中，闻象护所说，便作是念：若我为王，当夺取之。

既得作王，便召象护，教使将象共诣王所。时象护父语其子曰："阿阇贳王凶暴无道，贪求悭吝，自父尚虐，何况余人？今者唤卿，将贪卿象，傥能被夺。"其子答曰："我此象者，无能劫得。"父子即时共乘见王。时守门人即入白王："象护父子乘象在门。"王告之曰："听乘象入。"时守门者还出具告。象护父子乘象径前。既达宫内，尔乃下象，为王跪拜，问讯安否。王大欢喜，命令就座，赐与饮食，粗略谈语。须臾之顷，辞王欲去。王告象护："留象在此，莫将出也。"象护欣然奉教留之，空步出宫。未久之间，象没于地，踊出门外，象护还得，乘之归家。

经由少时，便自念曰：国王无道，刑罚非理，因此象故或能见害；今佛在世，泽润群生，不如离家遵修梵行。即白父母，求索入道，二亲听许，便辞而去，乘其金象，往至祇洹，既见世尊，稽首作礼，陈说本志。佛寻许言："善来，比丘！"须发自落，法服在身，便成沙门。佛便为说四谛要法，神心超悟，便逮罗汉。每与诸比丘林间树下思惟修道，其金象者恒在目前。舍卫国人闻有金象，竞集观之，匆闹不静，妨废行道。时诸比丘以意白佛。

佛告象护："因此象故致有烦愦[2]。卿今可疾遣象令去。"象护白佛："久欲遣之，然不肯去。"佛复告曰："汝可语之：我今生分已尽，更不用汝，如是至三，象当灭矣。"尔时象护奉世尊教，

190

向象三说:"吾不须汝。"是时金象即入地中。

时诸比丘咸共奇怪,白世尊言:"象护比丘本修何德,于何福田种此善根,乃获斯报巍巍如是?"佛告阿难及诸比丘:"若有众生于三宝福田之中种少少之善,得无极果。乃往过去迦叶佛时,时彼世人寿二万岁,彼佛教化周讫,迁神泥洹,分布灵骨,多起塔庙。时有一塔,中有菩萨本从兜率天所乘象来下入母胎时像。彼时象身,有少剥破。时有一人,值行绕塔,见象身破,便自念言:"此是菩萨所乘之象,今者损坏,我当治之。取埿[3]用补,雌黄污涂,因立誓愿:使我将来恒处尊贵财用无乏。彼人寿终生于天上,尽天之命下生人间,常生尊豪富乐之家,颜貌端正与世有异,恒有金象随时侍卫。"佛告阿难:"欲知尔时治象人者,今象护是。由于彼世治象之故,从是以来,天上人中,封受自然。缘其敬心奉三尊故,今遭值我,禀受妙化,心垢都尽,逮阿罗汉。"慧命阿难及诸众会闻佛所说,莫不开解,各得其所,有得须陀洹、斯陀含、阿那含、阿罗汉者,有发无上正真道意者,有证不退位者,莫不欢喜,敬戴奉行。[4](《贤愚经》卷十二《象护品第四十九》)

【注释】

[1]阿阇贳:在世时中印度摩揭陀国频婆娑罗王之子,详见《撰集百缘经·功德意供养塔生天缘》注释。

[2]烦愦:心烦意乱。

[3]埿(bàn):烂泥。

[4]故事中象护能得到金象的陪伴保护正是由于他前世涂补了画作中损坏的菩萨所乘坐的象,佛家修行中有一定的因

缘,此生得到的果是由前世种下的因所引起。最终象护的出家
得道也是他前世所种的因所引起的。

9.婆世踬品(节选)

乃注过去,无量之劫,波罗奈国有大长者,初生一子,端正
无比。当于是时,其家有人,从海中来,赍一鸟卵,用奉长者。长
者纳受,经少时间,其卵便剖,出一鸟雏,毛羽光润。长者爱之,
与子使弄。渐渐长大,互相怀念。时长者子,骑鸟背上,鸟便担
飞,处处游观,情既满厌,还归其舍,日日如是。

经历多时,其长者子,闻他国王作那罗戏[1],便乘斯鸟,往
至彼间。来下观看,鸟住树上。偶见王女,情便染爱,其时遣信,
呈说情状。王女然可,便与共交。作事不密,为王所知,遣人推
捕,寻时获得,缚束其身,而当斩戮。长者子言:"诸君何为劳力
杀我? 听我上树,自投而死! "

诸人听许,便起攀枝而上,乘骑其鸟,翔虚[2]而去。因此鸟
故,得延寿命。(《贤愚经》卷十三《婆世踬品第五十九》)

【注释】
[1]那罗戏:印度大史诗《摩诃婆罗多》中有国王那罗的故
事,称为《那罗插话》。那罗戏即此故事。
[2]翔虚:凌空。

《杂宝藏经》[1]

[北魏]吉迦夜[2]、昙曜[3] 译

1.十奢王缘

昔人寿万岁时,有一王号曰十奢,王阎浮提。王大夫人生育一子,名曰罗摩;第二夫人有一子,名曰罗漫。罗摩太子有大勇武那罗延力[4],兼有扇罗[5],闻声见形,皆能加害,无能当者。时第三夫人生一子,名婆罗陀;第四夫人生一子,字灭怨恶。

第三夫人王甚爱敬,而语之言:"我今于尔所有财宝都无吝惜,若有所须,随尔所愿。"夫人对言:"我无所求。后有情愿,当更启白。"时王遇患[6],命在危惙[7],即立太子罗摩代已为王,以自结发,头著天冠,仪容轨则如王者法。

时小夫人瞻视王病得小瘥瘥[8],自恃如此,见于罗摩绍其父位,心生嫉妒。寻启于王,求索先愿,愿以我子为王,废于罗摩。王闻是语,譬如人噎,既不得咽,又不得吐。正欲废长,已立为王;正欲不废,先许其愿。然十奢王从少已来未曾违信;又王者之法,法无二语,不负前言。思惟是已,即废罗摩,夺其衣冠。

时弟罗漫语其兄言:"兄有勇力,兼有扇罗,何以不用,受斯耻辱?"兄答弟言:"违父之愿,不名孝子。然今此母虽不生我,我父敬待亦如我母;弟婆罗陀,极为和顺,实无异意。如我今者,虽有大力扇罗,宁可于父母及弟所不应作,而欲加害?"

弟闻其言，即便默然。

时十奢王即徙二子远置深山，经十二年，乃听还国。罗摩兄弟即奉父敕，心无结恨，拜辞父母，远入深山。时婆罗陀先在他国，寻召还国，以用为王。然婆罗陀素与二兄和睦恭顺，深存敬让。既还国已，父王已崩，方知己母妄兴废立，远摈二兄。嫌所生母所为非理，不向拜跪，语己母言："母之所为，何期悖逆，便为烧灭我之门户。"向大母拜，恭敬孝顺倍胜于常。

时婆罗陀即将军众至彼山际，留众在后，身自独往。当弟来时，罗漫语兄言："先恒称弟婆罗陀义让恭顺，今日将兵来，欲诛伐我之兄弟。"兄语婆罗陀言："弟今何为将此军众？"弟白兄言："恐涉道路，逢于贼难，故将兵众用自防卫，更无余意。愿兄还国统理国政。"兄答弟言："先受父命，远徙来此，我今云何辄得还反？若专辄者，不名仁子孝亲之义。"如是殷勤苦求不已，兄意礭然[9]执志弥固。弟知兄意终不可回，寻即从兄索得革屣[10]，惆怅懊恼，赍还归国。统摄国政，常置革屣于御坐上，日夕朝拜，问讯之义如兄无异。亦常遣人到彼山中，数数请兄。然其二兄以父先敕十二年还，年限未满，至孝尽忠，不敢违命。

其后渐渐年岁已满，知弟殷勤屡遣信召，又知敬屣如己无异，感弟情至，遂便还国。既至国已，弟还让位而与兄。兄复让言："父先与弟，我不宜取。"弟复让言："兄为嫡长，负荷父业正应是兄。"如是展转互相推让。兄不获已，遂还为王。兄弟敦穆，风化大行。道之所被，黎元蒙赖，忠孝所加，人思自劝，奉事孝敬。婆罗陀母虽造大恶，都无怨心。以此忠孝因缘故，风雨以时，五谷丰熟，人无疾疫。阎浮提内一切人民，炽盛丰满，十倍于常。（《杂宝藏经》卷一·《十奢王缘第一》）

【注释】

[1]《杂宝藏经》:共十卷。收录了关于佛陀、佛弟子的种种事缘,共有一百二十个因缘,其中大部分是与佛陀有关的故事。全经藉由因缘譬喻的寓言故事来阐示佛教的因果轮回思想,其中特别强调孝养、施舍、教化等原始佛教的道德观,是研究原始佛教教义及轮回观念不可缺少的经典。

[2]吉迦夜:梵名 Kekaya,译言何事。北魏之译经僧,西域人。师以游化传道为志,于北魏文成帝时抵达平城,众人钦服其博学,而礼敬之。因太武难后,经籍零散,故师与沙门统昙曜等于延兴二年(472),译出付法藏因缘传六卷、杂宝藏经八卷、方便心论一卷等,共计五部十九卷,由刘孝标笔受,由此,北地大法得以重兴。

[3]昙曜:年少出家,原在凉州修习禅业,为太子拓跋晃所礼重。北魏太武帝废佛教,北地经像零落,佛事断歇,沙门多还俗,师独坚固道心,俨然持守其身。后应文成帝之召,于武周山山谷北面石壁开凿窟龛五所,每窟镌造佛像一尊,皆高六、七十尺,窟高二十余丈,可容三千人,雕饰奇秀,又建立佛寺,称为灵岩寺,此为大同云冈石窟之开端。

[4]那罗延:具有大力之印度古神,意译为金刚力士。

[5]扇罗:闻声见形则能取胜的神通力。

[6]遇患:患病。

[7]危惙:危险;惙,疲惫。

[8]瘳(chōu)瘥(chài):病痊愈。

[9]礭然:坚定的样子。礭,同“确”。

[10]屣:鞋子。

2.弃老国缘

过去久远,有国名弃老。彼国土中,有老人者,皆远驱弃。有一大臣,其父年老,依如国法,应在驱遣。大臣孝顺,心所不忍,乃深掘地,作一密屋,置父著中,随时孝养。

尔时天神,捉持二蛇,著王殿上,而作是言:"若别雄雌,汝国得安。若不别者,汝身及国,七日之后,悉当覆灭!"王闻是已,心怀懊恼,即与群臣,参议斯事。各自陈谢,称不能别。即募国界,谁能别者,厚加爵赏。大臣归家,往问其父。父答子言:"此事易别。以细软物,停蛇著上,其躁扰者,当知是雄;住不动者,当知是雌。"即如其言,果别雄雌。

天神复问言:"谁于睡者,名之为觉?谁于觉者,名之为睡?"王与群臣,复不能辩。复募国界,无能解者。大臣问父:"此是何言?"父言:"此名学人,于诸凡夫,名为觉者[1];于诸罗汉[2],名之为睡。"即如其言以答。

天神又复问言:"此大白象,有几斤两?"群臣共议,无能知者。亦募国内,复不能知。大臣问父,父言:"置象船上,著大池中,画水齐船,深浅几许,即以此船,量石著中,水没齐画,则知斤两。"即以此智以答。

天神又复问言:"以一掬水,多于大海,谁能知之?"群臣共议,又不能解。又遍募问,都无知者。大臣问父:"此是何语?"父言:"此语易解。若有人能信心清净,以一掬水,施于佛僧及以父母困厄病人,以此功德,数千万劫,受福无穷。海水极多,

196

不过一劫。推此言之，一掬之水，百千万倍，多于大海。"即以此言。用答天神。

天神复化作饿人，连骸挂骨，而来问言："世颇有人饥穷瘦苦剧于我不？"群臣思量，复不能答。臣复以状，往问于父，父即答言："世间有人，悭贪嫉妒，不信三宝[3]，不能供养父母师长，将来之世，堕饿鬼中，百千万岁不闻水谷之名，身如太山，腹如大谷，咽如细针，发如锥刀，缠身至脚，举动之时，支节火然[4]。如此之人，剧汝饥苦，百千万倍。"即以斯言，用答天神。

天神又复化作一人，手脚杻械[5]，项复着锁，身中火出，举体燋烂，而又问言："世颇有人，苦剧我不？"群臣率尔[6]，无知答者。大臣复问其父，父即答言："世间有人，不孝父母，逆害师长，叛于夫主，诽谤三尊，将来之世，堕于地狱，刀山剑树，火车炉炭，陷河沸屎，刀道火道，如是众苦，无量无边，不可计数。以此方之，剧汝困苦，百千万倍。"即如其言，以答天神。

天神又化作一女人，端政瑰玮[7]逾于世人，而又问言："世间颇有端政之人，如我者不？"君臣默然，无能答者。臣复问父，父时答言："世间有人，信敬三宝，孝顺父母，好施忍辱，精进持戒，得生天上，端政殊特，过于汝身，百千万倍。以此方之，如瞎猕猴。"又以此言，以答天神。

天神又以一真檀木，方直正等，又复问言："何者是头？"君臣智力无能答者。臣又问父，父答言："易知，掷著水中，根者必沈，尾者必举。"即以其言，用答天神。

天神又以二白骒马[8]，形色无异，而复问言："谁母谁子？"君臣亦复无能答者。复问其父，父答言："与草令食，若是母者，必推草与子。"

如是所问，悉皆答之。天神欢喜，大遗国王珍琦[9]财宝，而语王言："汝今国土，我当拥护，令诸外敌，不能侵害。"王闻是已，极大踊悦，而问臣言："为是自知？有人教汝？赖汝才智，国土获安。既得珍宝，又许拥护，是汝之力。"臣答王言："非臣之智，愿施无畏，乃敢具陈。"王言："设汝今有万死之罪，犹尚不问，况小罪过。"臣白王言："国有制令，不听养老。臣有老父，不忍遣弃。冒犯王法，藏著地中。臣来应答，尽是父智，非臣之力。唯愿大王，一切国土。还听养老。"

王即叹美，心生喜悦，奉养臣父，尊以为师："济我国家，一切人命。如此利益，非我所知。"即便宣令，普告天下："不听弃老，仰令孝养。其有不孝父母，不敬师长，当加大罪。"

尔时父者。我身是也。尔时臣者。舍利弗是。尔时王者。阿阇世是。尔时天神。阿难是也。(《杂宝藏经》卷一《弃老国缘第四》)

【注释】

[1]觉者：觉悟者。

[2]罗汉：佛教修心的果位之一。据说不受生死轮回。

[3]三宝：佛、法、僧。

[4]然：同"燃"。

[5]杻械：脚镣手铐。

[6]率尔：大体。

[7]瑰玮：形容美丽有光彩。瑰：像玉的石头。玮：美玉。

[8]骠(cǎo)马：母马。

[9]琦：美玉。

3.莲华夫人缘

过去久远,无量世时,雪山边有一仙人[1]。名提婆延,是婆罗门种。婆罗门法[2],不生男女,不得生天。此婆罗门,常石上行小便。有精气[3]流堕石宕[4],有一雌鹿,来舐小便处,即便有娠。日月满足,来诣仙人窟下,生一女子,华裹其身,从母胎出,端正殊妙。仙人知是己女,便取畜养。渐渐长大,既能行来,脚蹈地处,皆莲华出。

婆罗门法,夜恒宿火[5]。偶值一夜,火灭无有,走至他家,欲从乞火。他人见其迹,迹有莲华,而便语言:"绕我舍七匝,我与汝火。"即绕七匝,得火还归。

值乌提延王游猎,见彼人舍,有七重莲华,怪而问之:"尔舍所以有此莲华?"即答王言:"山中梵志女来乞火,彼女足下生此莲华。"寻其脚迹,到仙人所。王见是女,端正殊妙,语仙人言:"与我此女!"便即与之,而语王言:"当生五百王子。"

遂立为夫人,五百婇女[6]中最为上首。王大夫人甚妒鹿女,而作是言:"王今爱重,若生五百子,倍当敬之。"其后不久,生五百卵,盛着篋中。时大夫人,捉五百面段[7],以代卵处,即以此篋,封盖记识,掷恒河中。王问夫人言:"为生何物?"答言:"纯生面段。"王言:"仙人妄语!"即下夫人职,更不见王。

时萨耽菩王,在于下流,与诸婇女,游戏河边,见此篋来,而作是言:"此篋属我。"婇女言:"王今取篋,我等当取篋中所有。"遣人取篋。五百夫人,各与一卵。卵自开敷,中有童子,面目端正。养育长大,各皆有大力士之力,竖五百力士幢[8]。

乌提延王从萨耽菩王常索贡献。萨耽菩王闻索贡献，愁忧不乐。诸子白言："何以愁恼？"王言："今我处世，为他所凌[9]。"

诸子问言："为谁所凌？"王言："乌提延王，而常随我责索贡献。"

诸子白言："一切阎浮提王，欲索贡献，我等能使贡献于王。王以何故与他贡献？"

五百力士遂将军众，伐乌提延王。乌提延王恐怖而言："一力士尚不可当，何况五百力士！"便募国内能却此敌。又复思忆："彼仙人者，或能解知，作诸方便。"往到仙人所，语仙人言："国有大难，何由攘[10]？"答言："有怨敌耶？"

王言："萨耽菩王有五百力士，皆将军众，欲来伐我。我今乃至无是力士，与彼作对。知何方计，得却彼敌？"仙人答言："汝可还求莲华夫人，彼能却敌。"

王言："彼云何能却？"仙人答言："此五百力士，皆是汝子，莲华夫人之所生也。汝大夫人，心怀憎嫉，掷彼莲华所生之子，著河水中。萨耽菩王于河水下头，接得养育，使令长大，王今以莲华夫人乘大象上，著军阵前，彼自然当服。"

即如仙人言，还来忏谢莲华夫人。共忏谢已，庄严夫人，著好衣服，乘大白象，著军阵前。五百力士举弓欲射，手自然直，不得屈申，生大惊愕。仙人飞来，于虚空中语诸力士："慎勿举手！莫生恶心。若生恶心，皆堕地狱！此王及夫人，汝之父母！"

母即按乳，一乳作二百五十歧[11]，皆入诸子口中。即向父母忏悔，自生惭愧，皆得辟支佛。二王亦自然开悟，亦得辟支佛。(《杂宝藏经》卷一《莲华夫人缘第八》)

【注释】

[1]仙人:印度古代传说中的圣人,不是神,也不是一般的人,常被说成有很大的法力和神通。

[2]婆罗门法:婆罗门教之法。

[3]精气:此处指仙人体液中的灵气。

[4]石宕:石洞。

[5]夜恒宿火:整夜燃火不熄。

[6]婇女:宫女。

[7]捉五百面段:拿了五百个面团。

[8]幢(chuáng):古代原指支撑帐幕、伞盖、旌旗的木竿,后借指帐幕、伞盖、旌旗。

[9]凌:凌辱、欺凌。

[10]攘:抗拒。

[11]一乳作二百五十歧:每个乳房的乳汁分作二百五十股。

4.六牙白象缘

昔日有六牙白象,多诸群众。此白象有二妇,一名贤,二名善贤。林中游行,遇值莲华,意欲与贤,善贤夺去。贤见夺华,生嫉妒心:"彼象爱于善贤,而不爱我。"时彼山中有佛塔,贤常将果供养,即发愿言:"我生人中,自识宿命,并拔此白象牙。"故即上山头,自扑而死。寻生毗提醯王家作女,自知宿命。年既长大,与梵摩达王为妇,念其宿怨,语梵摩达言:"与我象牙作床者,我能活耳;若不尔者,我不能活。"梵摩达王,即募猎者:"若有能得象牙来者,当与百两金。"即时猎师,诈被袈裟,挟弓毒箭,往至象所。

时象妇善贤,见猎师已,即语象王:"彼有人来。"象王问言:"着何衣服?"答言:"身着袈裟。"象王言:"袈裟中必当有善无有恶也。"猎师于是遂便得近,以毒箭射。善贤语其夫:"汝言:'袈裟中有善无恶。'云何如此?"答言:"非袈裟过,乃是心中烦恼过也。"善贤即欲害彼猎师,象王种种慰喻说法,不听令害。又复畏五百群象必杀此猎师,藏着奇[1]间,五百群象,皆遣远去,问猎师言:"汝须何物而射于我?"答言:"我无所须;梵摩达王,募索汝牙,故来欲取。"象言:"若取。"答言:"不敢自取。如是慈悲,覆育于我,我若自取,手当烂堕。"白象即时,向大树所,自拔牙出,以鼻绞捉,发愿而与:"以牙布施,愿我将来,拔一切众生三毒[2]之牙。"猎师取牙,便与梵摩达王。

尔时夫人,得此牙已,便生悔心,而作是言:"我今云何取此贤胜净戒之牙?"大修功德,而发誓言:"愿使彼将来得成佛时,于彼法中,出家学道,得阿罗汉。"

汝等当知!尔时白象,我身是也。尔时猎师者,提婆达多是也。尔时贤者,今比丘尼是也。尔时善贤者,耶输陀罗比丘尼[3]是。(《杂宝藏经》卷二《六牙白象缘第十》)

【注释】

[1]奇(qí):同"奇"。

[2]三毒:指一切痛苦的根源——贪、嗔、痴。

[3]耶输陀罗比丘尼:又作耶输多罗。意译为持誉、持称、华色。佛陀未出家为太子时的正妃,罗侯罗的生母。释尊成道五年后,与释尊姨母摩诃波阇波提等五百名释迦族妇女受具足

戒为比丘尼。

5.长者请舍利弗摩诃罗缘

昔舍卫城中,有大长者,其家巨富,财宝无量。常于僧次[1],而请沙门,就家供养。尔时僧次,次舍利弗,及摩诃罗[2],至长者家。长者见已,甚大欢喜。当于时日,入海估客[3],大获珍宝,安隐归家。时彼国王,分赐聚落,封与长者。其妻怀妊,复生男儿。诸欢庆事,同时集会,舍利弗等,既入其家,受长者供。饭食已讫,长者行水[4],在尊者前,敷[5]小床座。舍利弗咒愿[6]而言:"今日良时得好报,财利乐事一切集。踊跃欢喜心悦乐,信心踊发念十力[7]。如似今日后常然!"

长者尔时,闻咒愿已,心大欢喜,即以上妙好毡二张,施舍利弗,然摩诃罗独不施与。时摩诃罗,还寺惆怅,作是念言:"今舍利弗所以得者,正由咒愿适长者意,故获是施。我今应当求是咒愿。"即语舍利弗言:"向者咒愿,愿授与我。"即答之言:"此咒愿者,不可常用。有可用时,有不可用时。"

摩诃罗殷勤求请,愿必授我。舍利弗不免其意,即授咒愿。既蒙教授,寻即读诵,极令通利。作是思惟:"我当何时,次第及我,得为上座,用此咒愿。"

时因僧次,到长者家,得作上座。时彼长者,估客入海,亡失珍宝,长者之妇,遭罹官事,儿复死丧。而摩诃罗,说本咒愿,言"后常然"。尔时长者,既闻是语,心怀忿恚,寻即驱打,推令出门。

被嗔打已,情甚懊恼,即入王田胡麻地中,蹋践胡麻,苗稼摧折。守胡麻者，嗔其如是，复加鞭打，极令劳辱。时摩诃罗，重被打已，过问打者言："我有何闇[8]，见打乃尔？"

时守麻者，具说践蹋胡麻之状，示其道处，涉路前进。未经几里，值他刈麦，积而为积。时彼俗法，绕积右旋，施设饮食，以求丰壤，若左旋者，以为不吉。时摩诃罗，绕积左旋，麦主忿之，复加打棒。时摩诃罗，复问之言："我有何罪，横加打棒？"麦主答言："汝绕麦积，何不右旋，咒言'多人'？违我法故，是以打汝！"

即示其道，小复前行。逢有葬埋，绕他冢圹，如向麦积，咒愿之言："多人！多人！"丧主忿之，复捉挝打，而语之言："汝见死者，应当愍之，言自今已后，更莫如是，云何返言'多人，多人'？"摩诃罗言："自今已后，当如汝语。"

又复前行，见他嫁娶，如送葬者之所教言："自今已后，莫复如是。"时嫁娶者，嗔其如是，复加笞打。乃至头破。遂复前进，被打狂走，值他捕雁。惊怖惕惶，触他罗网。由是之故，惊散他雁。猎师嗔恚，复捉榜打。时摩诃罗，被打困熟，语猎师言："我从直道行，数被踬顿[9]，精神失错，行步躁疾，触君罗网，愿见宽放，令我前进。"猎师答言："汝极粗疏，俏张[10]乃尔。何不安徐，匍匐而行？"

即前著道，如猎师语，匍匐而行。复于道中，遇浣衣者，见其肘行，谓欲偷衣，即时征捉，复加打棒。时摩诃罗，既遭困急，具陈上事，得蒙放舍。

至于只祇桓，语诸比丘："我于先日，诵舍利弗咒愿，得大苦恼！"自说被打肤体毁破，几失身命。诸比丘将摩诃罗，诣于佛边，具说其人被打因由。佛言："此摩诃罗，不但今日有是因缘，乃至昔时。有国王女，遭遇疾患，太史占之，须诣冢间，为其解除。时国王女，即将导从，往诣冢间。于时道行，有二估客。见国王女侍从严饰，心怀惧畏，走至冢间。其一人者，即为王女侍从之人，割截耳鼻。其一人者，得急惊怖，死尸中伏，诈现死相。尔时王女，将欲解除，选新死人肤未烂者，坐上澡浴，以疗所患。时遣人看，正值估客，以手触之，其体尚软，谓为新死，即以芥末涂身，在上洗浴。芥末辛气入估客鼻。虽然自持，不能禁制，即便大嚏，欻然[1]而起。时侍从者，谓起尸鬼，或能为我作诸灾疫，闭门拒逆。王女得急，急捉不放。于时估客，以实告言：'我实非鬼'。王女即时，与彼估客，俱往诣城，唤开城门，具陈情实。时女父国王，虽闻其言，犹怀不信，庄严兵仗，启门就看，方知非鬼。时父王言：'女人之体，形不再现。'即以其女而用妻之。估客欢喜，庆遇无量。"

佛言："尔时估客得王女者，舍利弗是。割截耳鼻者，摩诃罗是。宿缘如此，非但今日。自今已后，诸比丘等，若欲说法咒愿。当解时宜。"（《杂宝藏经》卷六《长者请舍利弗摩诃罗缘第七十八》）

【注释】

[1] 僧次：僧侣的席次，即受具足戒后依年数而定席位，先受戒者在前坐，后受戒者在后坐。供养法有僧次与别请之分。施主不选其人，但顺僧位之席次而供养，称为僧次；特选其人而迎请供养，则称为别请。

[2] 摩诃罗：梵语中本意是"无知"。

[3] 估客：行商。

[4]行水：谓用水洁身以祈佛。

[5]敷：布置。

[6]咒愿：指沙门于受食之际，以唱诵愿文，为施主祈愿或作种种赞叹，又作祝愿。

[7]十力：如来佛具有十种神通力量。

[8]闇：同"暗"，糊涂。

[9]踬顿(zhì dùn)：本意是背东西绊倒或不慎摔倒，此处指遭受挫辱。

[10]佝张：慌张，惊惧的样子。

[11]欻(xū)然：快速地。

6.祀树神缘

昔有老公，其家巨富。而此老公，思得肉食，诡作方便[1]，指田头树，语诸子言：今我家业，所以谐富，由此树神恩福故尔，今日汝等，宜可群中取羊以用祭祠。时诸子等，承父教敕，寻即杀羊，祷赛[2]此树，即于树下，立天祠舍。其父后时，寿尽命终，行业所追，还生己家羊群之中。时值诸子欲祀树神，便取一羊，遇得其父，将欲杀之。羊便唖唖[3]笑而言曰：而此树者，有何神灵？我于往时，为思肉故，妄使汝祀，皆共汝等，同食此肉。今偿殃罪，独先当之。时有罗汉，遇到乞食，见其亡父受于羊身，即借主人道眼[4]，令自观察，乃知是父。心怀懊恼，即坏树神，悔过修福，不复杀生。（《杂宝藏经》卷九《祀树神缘第一百八》）

206

【注释】

[1]方便：此处指变谋、安排。

[2]祷赛：祈神、谢神的行为。

[3]哽哽(yè)：同"咽"，呜咽哀切之声。

[4]道眼：修道而得的天眼通。

7.难陀王与那伽斯那[1]共论缘

昔难陀王，聪明博通，无事不练，以己所知，谓无酬敌。因问群臣："颇有智慧聪辩之人，咨询疑事，能对我不？"

时有一臣，家先供养一老比丘，履行清净，然不广学，即谈于王。王问之言："夫得道者，为在家得，为出家得乎？"时老比丘，即答之曰："二俱得道。"王复问言："若二俱得，何用出家？"彼老比丘，即便默然，不知何对。

时难陀王，转复骄慢。时诸臣等，即白王言："那伽斯那聪慧绝伦，今在山中。"

王于尔时，欲试之故，即遣使人，赍一瓶酥，湛然盈满。王意以为我智满足，谁复有能加益于我。那伽斯那获其酥已，即解其意，于弟子中，捡针五百，用刺酥中，酥亦不溢，寻遣归王。王既获已，即知其意。

寻遣使请那伽斯那，即赴王命。那伽斯那身体长大，将诸徒众，在中特出。王心骄豪，诡因游猎，路次相逢，见其姝长，即自摇指，异道而去，竟不共语，默欲非之。一切长者，都无所知。时那伽斯那，寻以己指，而自指胸言：而我独知。

难陀王将延[2]入宫，即凿小屋，户极令卑下，望使斯那曲躬

207

向伏。然此斯那知欲陷己，即自却入，不受其屈。

时难陀王，即设饮食，与粗食数种食。食五三匙，便言己足，后与细美，方乃复食。王复问言："向云己足，何故今者犹故复食？"斯那答言："我向足粗，未足于细。"

即语王言："今者王殿上可尽集人，令满其上。"寻即唤人，充塞遍满，更无容处。王在后来，将欲上殿，诸人畏故，尽皆慑伏，其中转宽，乃容多人。斯那尔时，即语王言："粗饭如民，细者如王，民见于王，谁不避路？"

王复问言："出家在家，何者得道？"斯那答言："二俱得道。"王复问言："若俱得道，何必出家？"

斯那答言："譬如去此三千余里，若遣少健，乘马赍粮，捉于器仗，得速达不？"王答言："得。"斯那复言："若遣老人，乘于瘦马，复无粮食，为可达不？"王言："纵令赍粮，犹恐不达，况无粮也。"斯那言："出家得道，喻如少壮，在家得道如彼老人。"

王复问言："今我欲问身中之事，我为常无常？随我意答。"斯那返问："如王宫中，有庵婆罗树上果，为甜为醋？"王言："如我宫中，都无此树，云何问我果之甜醋？"斯那言："我今亦尔。一切五阴[3]，既自无我[4]，云何问我常以无常？"

时王复问："一切地狱，刀剑解形，分散处处，其命犹存，实有此不？"斯那答言："譬如女人，啖食饼肉瓜菜，饮食悉皆消化。至于怀妊，歌罗罗时[5]。犹如微尘，云何转大，而不消化？"王言"此是业力。"斯那答言："彼地狱中，亦是业力，命根得存。"

王复问言："日之在上，其体是一，何以夏时极热，冬时极寒？夏则日长，冬则日短？"斯那答言："须弥山[6]有上下道，日于夏时,行于上道,路远行迟,照于金山,是故长而暑热。日于冬时,行于下道,路近行速,照大海水,是故短而极寒。"(《杂宝藏经》卷九《难陀王与那伽斯那共论缘第百十一》)

【注释】

[1]那伽斯那:佛教传说中的一位僧人,聪明善辩。

[2]延:引入;引见。

[3]五阴:又作五蕴、五荫。蕴,集合的意思。佛教认为人的一切,以至于世界都可以分别归纳为"色、受、想、行、识"五种成分。

[4]无我:无我指世界一切事物都生灭变化,没有独立存在的实体。这是佛教的一个基本哲学概念,具体解释有种种不同。

[5]歌罗罗时:妇女初受孕之时。

[6]须弥山:意译为"妙高山",原为古印度神话中的山名,后为佛教所采用,指一个小世界的中心。山顶为帝释天所居,山腰为四天王所居。四周有七山八海、四大部洲。

8.老婆罗门问谄伪缘

一切狡猾谄伪诈惑,外状似直,内怀奸欺,是故智者,应察真伪。

如往昔时,有婆罗门,其年既老,娉娶少妇。妇嫌夫老,傍淫不已。欲心既著,诳夫设会,请诸少壮婆罗门等,夫疑有奸,不肯延致。时彼少妇,设种种计,用惑其夫。老婆罗门前妇之子，坠于火中，尔时少妇，眼看使堕，而不捉取。婆罗门言："儿今坠火，何故不捉？"妇即答言："我自少来，唯近已夫，不曾捉他其余男子，云何卒欲令我捉此男子小儿？"

老婆罗门闻是语已，谓如其言，信明妇故，便于其家，而设大会，集婆罗门。尔时少妇，便共交通。老婆罗门闻是事已，心怀忿恨，即取宝物，盛裹衣褛[1]，弃妇而去。

离舍既远，于其路中，见一婆罗门，便共为伴。于其日暮，一处共宿。至明清旦，复共前行。离主人舍，渐渐欲远，彼婆罗门语老婆罗门言："于昨宿处，有一草叶，著我衣裳。我自少以来，无侵世物。叶著衣来，我甚为愧。欲还草叶，归彼主人。尔并停住，待我往还。"

老婆罗门闻是语已，深信其言，倍生爱敬，许当住待。彼婆罗门，诈捉草叶，欲还主人，未远之间，入一沟壑，偃[2]腹而卧。良久乃还，云以草叶还主人竟。老婆罗门信以为然，倍增爱重。老婆罗门时因便利，洗大小便，即以宝物而用寄之。此人寻后，赍其珍宝，便弃走去。老婆罗门见偷已物，叹惋彼人，又自感伤，忧愁懊恼，惆怅进路。

小复前行，憩一树下，见一鹳雀，口中衔草[3]，语诸鸟言："我等应当共相怜愍，集会一处，而共住止。"尔时诸鸟，皆信其言，而来聚集。时此鹳雀，伺众鸟等一切行后，就他巢窠，啄卵饮汁，杀他子食。诸鸟将至，更复衔草。众鸟既还，见有此事，咸皆瞋责。而此鹳雀，抵言我不。时诸鸟辈，知其诡欺，悉舍而去。

于此树下，更经少时，见一外道[4]出家之人，身服纳衣[5]，安行徐步："去去！众生！"老婆罗门而问之言："何以并行，口唱'去去'？"外道答言："我出家人，怜愍一切，畏伤虫蚁，是故尔耳。"

时婆罗门，见其出家口吐此言，深生笃信，即时寻逐，往至其家。于其暮宿，语婆罗门："我须闲静，以自修心。尔止别屋，于彼而卧。"时婆罗门，喜闻行道，心怀庆悦。

至夜后分，但闻作乐歌舞之声，便出看之，乃见出家外道住室有一地孔，中出妇女，与共交通。若女人舞，外道弹琴；若外道舞，女人弹琴。见此事已，而自念言："天下万物，不问人兽，无一可信者！"说偈言曰："不捉他男子，以草还主人，鸜雀诈衔草，外道畏伤虫，如是诳伪语，都无可信者！"(《杂宝藏经》卷十《老婆罗门问诳伪缘百一八》)

【注释】

[1]衣裓(gé)：衣服。裓，衣服的前襟。

[2]偃：仰卧。

[3]衔草：表示和平友好。

[4]外道：不信仰佛教，信仰其他宗教的出家人。

[5]纳衣：缝补的衣服。纳，通"衲"。

9.婆罗门妇欲害姑缘

昔有婆罗门，其妇少壮，姿容艳美，欲情深重，志存淫荡。以有姑在，不得遂意，密作奸谋，欲伤害姑。诈为孝养，以惑夫意，朝夕恪懃[1]，供给无乏。其夫欢喜，谓其妇言："尔今供给，得为孝妇，我母投老，得尔之力。"妇答夫言："今我世供，资养无几，若得天供，是为愿足。颇有妙法，可生天不？"夫答妇言："婆罗门法，投岩赴火，五热[2]炙身，得如是事，便得生天。"妇答夫言："若有是法，姑可生天，受自然供，何必孜孜，受世供养。"

作是语已，夫信其言，便于野田作大火坑，多积薪柴，极令然炽。乃于坑上而设大会，扶将老母，招集亲党婆罗门众，尽诣会所，鼓乐弦歌，尽欢竟日。宾客既散，独共母住。夫妇将母，诣火坑所，推母投坑，不顾而走。

时火坑中有一小磴，母堕磴上，竟不堕火。母寻出坑，日已逼暗，按来时迹，欲还向家。路经丛林，所在阴黑，畏惧虎狼，罗刹鬼等，攀上卑树，以避所畏。会值贼人，多偷财宝，群党相随，在树下息。老母畏惧，怖不敢动，不能自制，于树上咳。贼闻咳声，谓是恶鬼，舍弃财物，各皆散走。既至天明，老母泰然，无所畏惧，便即下树，选取财宝。香璎珠玑[3]，金钏耳珰，真奇杂物，满负向家。

夫妇见母，愕然惊惧，谓是起尸鬼，不敢来近。母即语言："我死生天，多获财宝。"而语妇言："香璎珠玑，金钏耳珰，是汝父母姑姨姊妹用来与汝，由吾老弱，不能多负，语汝使来，恣意当与。"

妇闻姑语，欣然欢喜，求如姑法，投身火坑，而白夫言："老姑今者，缘投火坑，得此财宝，由其力弱，不能多负，若我去者，必定多得。"夫如其言，为作火坑。投身燋烂[4]，于即永没。

尔时诸天，而说偈言："夫人于尊所，不应生恶逆。如妇欲害姑，反自焚灭身。"(《杂宝藏经》卷十《婆罗门妇欲害姑缘第百十九》)

【注释】

[1]恪懃(kè qín)：恭敬勤恳。恪，谨慎。懃，同"勤"。

[2]五热：古印度外道的苦修方法，即于身体四方燃火烤炙的苦行。

[3]香璎珠玑：各种宝物。璎是似玉的美石，玑是不圆的珍珠。

[4]燋烂：烧焦糜烂。燋，通"焦"。

10.乌枭报怨缘

昔有乌枭[1]，共相怨憎。乌待昼日，知枭无见，踏杀群枭，啖食其肉。枭便于夜，知乌眼暗，复啄群乌，开穿其腹，亦复啖食。畏昼畏夜，无有竟已。

时群乌中，有一智乌，语群乌言："已为怨憎，不可求解，终相诛灭，势不两全。宜作方便，殄覆[2]诸枭，然后我等，可得欢乐。若其不尔，终为所败。"众乌答言："如汝所说，当作何方，得灭仇贼？"智乌答言："尔等众乌，但共啄我，拔我毛羽，啄破我头，我当设计，要令殄灭。"

即如其言，燋焠[3]形容，向枭穴外，而自悲鸣。枭闻声已，便出问言："尔今何故，破伤头脑，毛羽毁落，来至我所？悲声极苦，欲何所说？"乌语枭言："众鸟仇我，不得生活。故来相投，以避怨恶。"

时枭怜愍，欲存养畜。众枭皆言："此是怨家，不可亲近，何缘养畜，以长怨敌？"时枭答言："今以困苦，来见投造，一身孤单，竟何能为？"

遂便畜养，恒与残肉。日月转久，毛羽平复。乌诈欢喜，微

213

作方计,衔干树枝,并诸草木,着枭穴中,似如报恩。枭语乌言:
"何用是为?"乌即答言:"孔穴之中,纯是冷石,用此草木,以御
风寒。"

枭以为尔,默然不答。而乌于是即求守穴,诈给使令,用报
恩养。时会暴雪,寒气猛盛,众枭率尔来集孔中。乌得其便,寻
生欢喜。衔牧牛人火,用烧枭孔,众枭一时于孔焚灭。

尔时诸天,说偈曰:"诸有宿嫌处,不应生体信。如乌诈托
善,焚灭众枭死!"(《杂宝藏经》卷十《乌枭报怨缘第百二十》)

【注释】

[1]枭:猫头鹰。

[2]殄覆:使之灭绝。

[3]燋焠:同"憔悴"。

11.婢共羊斗缘

昔有一婢,禀性廉谨,常为主人,曲糶[1]麦豆。时主人家,有
一羖羝[2],伺空逐便,噉食麦豆。斗量折损,为主所瞋。信已不
取,皆由羊噉。缘是之故,婢常因嫌,每以杖捶,用打羖羝。羝亦
含怒,来抵触婢。如此相犯,前后非一。婢因一日,空手取火,羊
见无杖,直来触婢。婢缘急故,用所取火,著羊脊上。羊得火热,
所在触突[3],焚烧村人,延及山野。于时山中五百猕猴,火来炽
盛,不及避走,即皆一时被火烧死。

诸天见已,而说偈言:"瞋恚斗诤间,不应于中止。羝羊共婢
斗,村人猕猴死。"(《杂宝藏经》卷十《婢共羊斗缘第百二十一》)

【注释】

[1]䵃(chǎo)：炒的米粉或面粉，一种干粮。

[2]羯(jié)羝(dī)：公羊。

[3]触突：冲撞奔走。

《百喻经》[1]

[南齐]求那毗地[2] 译

1.愚人食盐喻

　　昔有愚人至于他家。主人与食,嫌淡无味。主人闻已,更为益盐。既得盐美,便自念言:所以美者,缘有盐故。少有尚尔,况复多也。愚人无智,便空食盐。食已口爽[3],反为其患。

　　譬彼外道[4],闻节饮食可以得道,即便断食[5],或经七日,或十五日,徒自困饿,无益于道,如彼愚人,以盐美故,而空食之,致令口爽,此亦复尔。[6](《百喻经》卷一)

【注释】

　　[1]《百喻经》:旧题《百句譬喻经》,四卷。本书为五世纪印度僧伽斯那所集,由求那毗地于武帝永明十年(492)秋译出。之所以称之为"百",有两种说法,一就整数而言,二是加上卷首引言和卷尾偈颂共为百则。全文两万余字,结构形式单一,每篇都采用两步式,第一步是讲故事,是引子,第二步是比喻阐述一个佛学义理。

　　[2]求那毗地(? ~502):南齐译经僧,中印度人。早年出家,受业于大乘法师僧伽斯那,熟谙大小乘经二十余万言,并精研阴阳、卜筮之术。齐建元初至建康,止毗耶离寺,后建正观寺居

之。除《百喻经》，还有《十二因缘经》及《须达长者经》等译作。慧皎《高僧传》卷三有传。

[3]口爽：口干。

[4]外道：外教，外学，原指佛教意外一切宗教。这里指断食苦行的外道。

[5]断食：即为祈愿或成就修行，而于特定期间内断绝饮食。本为瑜伽派或其他苦行外道行法之一。后为佛教采用。

[6]修行要得法，不应该盲目，要适度修行，任何事情都是过犹不及，修行亦然。

2.以梨打破头喻

昔有愚人，头上无毛。时有一人，以梨打头，乃至二三，悉皆伤破。时此愚人，默然忍受，不知避去。傍人见已，而语之言："何不避去？乃往受打，致使头破。"

愚人答言："如彼人者，傲慢恃力，痴无智慧。见我头上无有发毛，谓为是石，以梨打我，头破乃尔！"

傍人语言："汝自愚痴，云何名彼以为痴也？汝若不痴，为他所打，乃至头破，不知逃避。"

比丘亦尔，不能具修信戒闻慧[1]，但整威仪，以招利养，如彼愚人，被他打头，不知避去，乃至头破，反谓他痴。此比丘者亦复如是。[2]（《百喻经》卷一）

【注释】

[1]闻慧：三慧之一。由闻教法而生之慧解也。阅读三藏十

二经典，或从善指示出闻之而生起的智慧。

[2]出家人如果不能真正修行戒律，仅凭修饰外表得到众人的供养，就如同被打破头的愚人，不知躲避还说别人愚蠢。

3.妇诈称死喻

昔有愚人，其妇端正，情甚爱重。妇无贞信，后于中间共他交往，邪淫心盛，欲逐傍夫[1]，舍离已婿。是密语一老母言："我去之后，汝可赍一死妇女尸，安著屋中。语我夫言，云我已死。"

老母于后伺其夫主不在之时，以一死尸置其家中。及其夫还，老母语言："汝妇已死。"

夫即往视，信是已妇。哀哭懊恼。大积薪油，烧取其骨，以囊盛之，昼夜怀挟。妇于后时，心厌傍夫，便还归家，语其夫言："我是汝妻。"夫答之言："我妇已死，汝是阿谁？妄言我妇。"乃至二三，犹故不信。

如彼外道，闻他邪说，心生惑著，谓是真实，永不可改。虽闻正教，不信受持[2]。（《百喻经》卷一）

【注释】

[1]傍夫：别的男人。傍，通"旁"。

[2]受持：指领受于心，忆而不忘。可分三方面：受持戒律、受持经典、受持三衣。本故事比喻修行者听任邪说，认为是真理，坚信不疑，后来听到了正法的教会却不信，无法奉行，多么可惜。

218

4.渴见水喻

过去有人,痴无智慧,极渴须水,见热时焰[1],谓为是水,即便逐走,至辛头河[2]。既至河所,对视不饮。

傍人语言:"汝患渴逐水,今至水所,何故不饮?"

愚人答言:"若可饮尽,我当饮之。此水极多,俱不可尽,是故不饮。"

尔时众人闻其此语,皆大嗤笑。

譬如外道,僻取其理,以己不能具持佛戒[3],遂便不受,致使将来无得道分,流转生死。若彼愚人见水不饮,为时所笑,亦复如是。[4](《百喻经》卷一)

【注释】

[1]热时焰:田间蒸腾的水汽,佛经中称之为"阳焰"。

[2]辛头河:"辛"或作"新",辛头河是印度河的古称。

[3]佛戒:佛所制定的戒律、戒法。亦称佛乘戒或佛性戒。谓佛因佛果的戒体、戒相。

[4]外道之人,固执己见,认为自己无法受持所有佛的戒律,于是一戒都不肯承受,最终无法得道,这如同愚人看见水不喝一样令人感到可笑。

5.认人为兄喻

昔有一人,形容端正,智慧具足,复多钱财,举世人间无不称叹。

时有愚人，见其如此，便言我兄。所以尔者，彼有钱财，须者则用之，是故为兄。见其还债，言非我兄。

旁人语言："汝是愚人，云何须财名他为兄；及其债时，则称非兄？"

愚人答言："我以欲得彼之钱财，认之为兄，实非是兄。若其债时，则称非兄。"

人闻此语，无不笑之。

犹彼外道，闻佛善语，盗窃而用，以为己有。乃至傍人教使修行，不肯修行，而作是言："为利养故，取彼佛语化道[1]众生，而无实事，云何修行。"犹向愚人，为得财故，言是我兄；及其债时，复言非兄。此亦如是。[2]（《百喻经》卷一）

【注释】

[1]化道：教化人之道也。道，通"导"。

[2]外道为了得到供养剽窃佛陀高超语句来装点自己，却不愿意真正地修行，也并不是真正的信奉，正如文中的蠢人那样。如果不是来自内心深处自己的体悟，学习再多也和开悟无关。

6.三重楼喻

往昔之世，有富愚人，痴无所知。到余富家，见三重楼，高广严丽，轩敞疏朗，心生渴仰，即作是念："我有财钱，不减于彼，云何顷来而不造作如是之楼？"即唤木匠而问言曰："解作彼家端正舍不？"

木匠答言："是我所作。"

即便语言："今可为我造楼如彼。"

是时木匠即便经地垒墼[1]作楼。

愚人见其垒土作舍，犹怀疑惑，不能了知，而问之言："欲何等？"

木匠答言："作三重屋。"

愚人答言："我不欲下二重之屋，先可为我作最上屋。"

木匠答言："无有是事！何有不作最下重层，而得造彼第二之屋？不造第二，云何造第三重屋？"

愚人固言："我今不用下二重屋，必可为我作最上者。"

时人闻已，便生怪笑，咸作此言："何有不造下第一屋而得上者！"

譬如世尊四辈弟子[2]，不能精勤修敬三宝[3]，懒惰懈怠，欲求道果，而作是言："我今不用余下三果[4]，唯求得彼阿罗汉果。"亦为时人之所嗤笑，如彼愚者等无有异。[5]（《百喻经》卷一）

【注释】

[1]墼（jī）：没烧的土坯。

[2]四辈弟子：比丘、比丘尼、优婆塞、优婆夷。

[3]三宝：指佛、法、僧。佛（梵语 buddha），乃指觉悟人生之真象，而能教导他人之佛教教主，或泛指一切诸佛；法（梵语 dharma），为根据佛陀所悟而向人宣说之教法；僧（梵语 sajgha），指修学教法之佛弟子集团。以上三者，威德至高无上，永不变移，如世间之宝，故称三宝。

[4]三果：阿那含、须陀洹、斯陀含，小乘佛教主张得上述三

果才能进一步得到阿罗汉果,成为罗汉。

[5]佛家修行的弟子不虔诚,懒惰怠慢却想要修得正果,如同盖楼只要第三层的愚人一样。

7. 说人喜瞋喻

过去有人,共多人众坐于屋中,叹一外人德行极好,唯有二过:一者喜瞋,二者作事仓卒。

尔时此人过在门外,闻人选是语,更生瞋恚,即入其屋,擒彼道己过恶之人,以手打扑。

傍人问言:"何故打也?"其人答言:"我曾何时喜瞋、仓卒?而此人者,道我恒喜瞋恚,作事仓卒,是故打之。"傍人语言:"汝今喜瞋、仓卒之相即时现验,云何讳之?"

人说过恶而起怨责,深为众人怪其愚惑。

譬如世间饮酒之夫,耽荒酗酒,作诸放逸[1],见人呵责,返生尤疾[2]。苦引证作,用自明白。若此愚人,讳闻己过,见他道说,返欲打扑之。[3](《百喻经》卷一)

【注释】

[1]放逸:非法无行之事。

[2]尤疾:责怪。

[3]佛教中"五毒"源自"一念瞋心",要正视自己的瞋念,正视自己的问题,从而才能避免瞋念所带来的负面影响。

8.杀商主祀天喻

昔有贾客,欲入大海。入大海之法,要须导师,然后可去。即共求觅,得一导师。

既得之已,相将发引,至旷野中,有一天祠[1],当须入祀,然后得过。于是众贾共思量言:"我等伴党,尽是亲属,属如何可杀? 唯此导师,中用祀天。"即杀导师,以用祭祀。

祀天已竟,迷失道路,不知所趣,穷困死尽。

一切世人,亦复如是:欲入法海取其珍宝,当修善法行以为导师。毁破善行,生死旷路,永无出期。经历三涂[2],受苦长远。如彼商贾将入大海,杀其导者,迷失津济[3],终致困死。[4]
(《百喻经》卷一)

【注释】

[1]天祠:梵语 deva-kula。印度祭祠大自在天等天部诸神之所。

[2]三涂:又作三途。即火涂、刀涂、血涂,义同三恶道之地狱、饿鬼、畜生,乃因身口意诸恶业所引生之处。

[3]津济:航道。

[4]想要修行佛法就要以勤修善法为导师,如不这样就如同商人入海却杀了向导,迷失方向最终困死。

9.医与王女药令卒长大喻

昔有国王，产生一女，唤医语言："为我与药，立使长大。"

医师答言："我与良药，能使长大。但今卒无，方须求索。比^[1]得药顷，王要莫看。待与药已，然后示王。"

于是即便远方取药。经十二年，得药来还，与女令服，将示于王。王见欢喜，即自念言："实是良医，与我女药，能令卒长。"便敕左右，赐以珍宝。

时诸人等笑王无智，不晓筹量生来年月，见其长大，谓是药力。

世人亦尔，诣善知识^[2]，而启之言："我欲求道，愿见教授，使我立得。"善知识师以方便故，教令坐禅，观十二缘起^[3]，渐积众德，获阿罗汉，倍踊跃欢喜，而作是言："快哉！大师速能令我证最妙法。"^[4]（《百喻经》卷一）

【注释】

[1]比：等到。

[2]善知识：指正直而有德行，能教导正道之人。又作知识、善友、亲友、胜友、善亲友。佛教徒称能对自己有所教益的朋友为善知识。

[3]十二缘起：十二因缘次第生起。是众生涉三世而轮回于六道次第之缘起也。一无明、二行、三识、四名色、五六入、六触、七受、八爱、九取、十有、十一生、十二老死。

[4]只有逐渐积累修行才能得道，世界上没有什么快速得

道的便捷路径。

10.灌甘蔗喻

昔有二人,共种甘蔗而作誓言:"种好者赏,其不好者,当重罚之。"

时二人中,一者念言:"甘蔗极甜,若压取汁,还灌甘蔗树,甘美必甚,得胜于彼。

即压甘蔗,取汁用溉,冀望滋味,反败[1]种子。所有甘蔗一切都失。

世人亦尔:欲求善福,恃己豪贵,专形挟势[2],迫胁下民,陵夺财物,以用作福。本期善果,不知将来反获其殃。如压甘蔗,彼此都失。[3](《百喻经》卷一)

【注释】

[1]败:腐烂、败坏。

[2]专形挟势:依仗自己的地位和势力。

[3]世间人想要谋求善报,却用欺压他人手段获得财物做福利之事,本来期待善报,却只能得到恶的报应。

11.就楼磨刀喻

昔有一人,贫穷困基苦,为王作事。日月经久,身体羸瘦。王见怜愍,赐一死驼。贫人得已,即便剥皮,嫌刀钝故,求石欲磨。乃于楼上得一磨石,磨刀令利,来下而剥。如是数往来磨

225

刀,后转劳苦,惮[1]不能数上,悬驼上楼,就石磨刀。深为众人之所嗤笑。

犹如愚人,毁破禁戒,多取钱财,以用修福,望得生天[2]。如悬驼上楼磨刀,用功甚多,所得甚少。[3](《百喻经》卷一)

【注释】

[1]惮:害怕。

[2]生天:即生于天界。印度自古即有生天的思想,认为现世积善业、福德,死后即能生于天界乐土。据《梨俱吠陀》的说法,人死则肉体趋于毁灭,但灵魂不灭。死者的灵魂前往死王阎摩支配的天界乐土。此一乐土是充满光明、歌舞、音乐的理想境界。为生于此天界乐土,生前必须祭神或对婆罗门行布施,并须持守各种誓戒、实践苦行。

[3]修行之人,通过犯戒的手段得来的财物做好事,希望得到生天善果,如同为了磨刀方便把骆驼吊楼上去一样的愚蠢,是事倍功半。

12.乘船失钎喻

昔有人乘船渡海,失一银钎[1],堕于水中。即便思念:"我今画水作记,舍之而去,后当取之。"

行经二月,到师子诸国[2],见一河水,便入其中,觅本失钎。

诸人问言:"欲何所作?"

答言:"我先失钎,今欲觅取。"

问言:"于何处失?"

答言："初入海失。"

又复问言："失经几时？"

言："失来二月。"

问言："失来二月，云何此觅？"

答言："我失钰时，画水作记。本所画水，与此无异，是故觅之。"

又复问言："水则不别。汝昔失时，乃在于彼；今在此觅，何由可得？"

尔时众人无不大笑。

亦如外道，不修正行。相似善中，横计苦困，以求解脱。犹如愚人，失钰于彼，而于此觅。[3]（《百喻经》卷一）

【注释】

[1]钰(yú)：钵盂，僧人所用的盛饭器。

[2]师子诸国：今斯里兰卡一带。

[3]外教徒不去修正法，认为自己修的苦行和正法很像，便努力苦行来求得解脱，这种完全不得正法的修行怎么会有好的结果呢？

13.入海取沉水喻

昔有长者子[1]，入海取沉水[2]。积有年载，方得一车，持来归家。诣[3]市卖之，以其贵故，卒[4]无买者。

经历多日，不能得售，心生疲厌，以为苦恼。见人卖炭，时得速售，便生念言：不如烧之作炭，可得速售。即烧为炭，诣市

227

卖之,不得半车炭之价直[5]。

世间愚人亦复如是,无量方便,勤行精进,仰求佛果[6];以其难得,便生退心:不如发心求声闻果,素缦生死,作阿罗汉。[7]

(《百喻经》卷二)

【注释】

[1]长者子:年长有声望之人的儿子。

[2]沉水:又名沉香。因木质坚实,入水能沉,故名。

[3]诣:到、去。

[4]卒:最终。

[5]直:通"值",价值。

[6]佛果:指成佛。又作佛位、佛果位、佛果菩提。佛为万行之所成,故称佛果,即能成之万行为因,而所成之万德为果。亦即从修行之因到达佛果之位,又指从声闻、菩萨之位至无上正等正觉之位。证得佛果之因,称为佛因,即指一切万行之善根、功德。

[7]沉水香本是无价之宝,喻众生的真如本性,但"卒无买者",喻很少有人懂得真如本性的宝贵价值。将其烧成炭来卖,喻真如本性变为生死轮回,殊为可惜。

14. 为妇贸鼻喻

昔有一人,其妇端正,唯其鼻丑。

其人外出,见他妇女面貌端正,其鼻甚好,便作念言:"我今宁可截取其鼻,着我妇面上,不亦好乎!"

即截他妇鼻,持来归家,急唤其妇:"汝速出来,与汝好鼻。"

其妇出来,即割其鼻,寻以他鼻着妇面上。既不相着,复失其鼻,唐使[1]其妇受大苦痛。

世间愚人,亦复如是。闻他宿旧[2]沙门[3]、婆罗门有大名德,而为世人之所恭敬,得大利养[4],便作是念言:"我今与彼便为不异。"虚自假称,妄言有德,既失其利,复伤其行。如截他鼻,徒自伤损。世间愚人,亦复如是。[5](《百喻经》)

【注释】

[1]唐使:白白地让。

[2]宿旧:年高辈长的。

[3]沙门:为出家者之总称,通于内、外二道。亦即指剃除须发,止息诸恶,善调身心,勤行诸善,期以行趣涅盘之出家修道者。

[4]利养:以利养身也。法华经序品曰:"贪着利养。"

[5]一些人自吹自擂,认为自己和德高望重的修心之人一样,既没得到他人的尊敬,又损害了自己的品行。

15.斫树取果喻

昔有国王,有一好树,高广极大,当生胜果,香而甜美。

时有一人来至王所。王语之言:"此之树上将生美果,汝能食不?"

即答王言:"此树高广,虽欲食之,何由能得?"

即便断树,望得其果。既无所获,徒自劳苦。后还欲竖,树已枯死,都无生理。

世间之人亦复如是。如来法王[1]有持戒树[2],能生胜果。心生愿乐,欲得果食,应当持戒,修诸功德。不解方便,反毁其禁,如彼伐树,复欲还活,都不可得。破戒之人,亦复如是。[3](《百喻经》卷二)

【注释】

[1]如来法王:"如来""法王"皆是佛的尊称,其中"如来"是佛陀十号之一。

[2]戒树:持戒功德利益甚多。此处以树比喻持戒生长功德。

[3]如果想得到善报,就要持戒做功德之事,如同砍树求果,通过去破戒的手段寻求善果是会一无所有的。

16.估客驼死喻

譬如估客,游行商贾,会于路中,而驼卒死。驼上所载,多有珍宝、细软、上氎[1]种种杂物。

驼既死已,即剥其皮。

商主舍行,坐二弟子而语之言:"好看驼皮,莫使湿烂。"

其后天雨,二人顽痴[2],尽以好氎覆此皮上,氎尽烂坏。皮、氎之价,理自悬殊。以愚痴故,以氎覆皮。

世间之人,亦复如是。其不杀者,喻于白氎;其驼皮者,即喻财货;天雨湿烂,喻于放逸败坏善行。不杀戒者,即佛法[3]身最上妙因[4],然不能修,但以财货造诸塔庙,供养众僧,舍根取末,不求其本。漂浪五道[5],莫能自出。是故行者,应当精心,持

不杀戒。[6]（《百喻经》卷三）

【注释】

[1]氎(dié)：细棉布。

[2]顽痴：愚蠢胡行。

[3]佛法：佛所说之教法，包括各种教义及教义所表达之佛教真理。

[4]妙因：绝妙因业之意。"妙果"的相对词。谓为获得妙果(成佛)的佛道修行。于末法今时，唯有信受三大秘法的御本尊而唱题，才是真正的妙因。

[5]五道：五种迷惑的境涯。谓地狱道、饿鬼道、畜生道、人道、天道。指凡夫的迷惑与苦恼不幸的生命状态。亦称五趣。

[6]贵重的白氎比喻的是不杀生戒，骆驼皮比喻财货，下雨天东西烂掉比喻因放纵败坏善行，不修杀生戒，用钱财去修庙供养僧人是舍本逐末，不能谋到福报还会在生死轮回中受苦。

17.欲食半饼喻

譬如有人，因其饥故，食七枚煎饼。食六枚半已，便得饱满。

其人恚悔嗔恚[1]，以手自打，而作是言："我今饱足，由此半饼。然前六饼，唐[2]自捐弃，设知半饼能充足者，应先食之。"

世间之人，亦复如是：从本以来，常无有乐，然其痴倒[3]，横生乐想。如彼痴人，于半番饼，生于饱想。世人无知，以富贵为乐。夫富贵者，求时甚苦，既获得已，守护亦苦，后还失之，忧念复苦。于三时[4]中，都无有乐，犹如衣食，遮故名乐，于辛苦中，横生乐想。诸佛说言："三界[5]无安，皆是大苦。"凡夫倒惑，横生乐想。(《百喻经》卷三)

【注释】

[1]恚悔嗔恙：恚，忿怒而懊悔。嗔恙：责怪自己有病。

[2]唐：空，徒然。

[3]痴倒：愚痴颠倒。

[4]三时：古印度把一天时间分为昼三时(晨朝、日中、日没)和夜三时(初夜、中夜、后夜)，三时指整天。

[5]三界：指众生所居之欲界、色界、无色界。

18.偷犛牛[1]喻

譬如一村，共偷犛牛而共食之。

其失牛者逐迹至村，唤此村人间其由状而语之言："在尔此村不？"

偷者对曰："我实无村。"

又问："尔村中有池，在此池边共食牛不？"

答言："无池。"

又问："池傍有树不？"

对言："无树。"

又问："偷牛之时，在尔村东不？"

对曰："无东。"

又问："当尔偷牛非日中时耶？"

对曰:"无中。"

又问:"纵可无村及以无树,何有天下无东、无时?知尔妄语,都不可信。尔偷牛食不?"

对曰:"实食。"

破戒之人,亦复如是。覆藏罪过,不肯发露,死入地狱。诸天善神以天眼观,不得覆藏,如彼食牛,不得欺拒。(《百喻经》卷三)

【注释】

[1]犛牛:犛,音毛。兽如牛而尾长,名叫犛牛。

19.五人买婢共使作喻

譬如五人,共买一婢,其中一人语此婢言:"与我浣衣。"

又有一人复语浣衣。

婢语此者:"先与其浣。"

后者恚曰:"我与前人同买于汝,云何独尔?"即鞭十下。

如是五人各打十下。

五阴[1]亦尔。烦恼因缘合成此身,而此五阴,恒以生、老、病、死、无量苦恼搒笞众生。(《百喻经》卷三)

【注释】

[1]五阴:即色、受、想、行、识,亦称"五蕴",为构成众生的五个要素。即以此五阴名为人、我、众生。这里用五人比喻五阴,一婢比喻众生。人的一生都要受到五阴的鞭笞困扰,只有

修佛才能得到解脱。

20.见水底金影喻

昔有痴人往大池所。见水底影有真金像,谓呼有金。即入水中挠泥求觅。疲极不得。

还出复坐须臾水清又现金色。复更入里挠泥更求觅。亦复不得。

其如是父觅子,得来见子。而问子言:"汝何所作,疲困如是?"

子白父言:"水底有真金,我时投水,欲挠泥取,疲极不得。"

父看水底真金之影,而知此金在于树上,所以知之,影现水底。

其父言曰:"必飞鸟衔金,着于树上。"

即随父语,上树求得。

凡夫愚痴人,无智亦如是。

于无我阴[1]中,横生有我想。如彼见金影,勤苦而求觅,徒劳无所得。[2](《百喻经》卷三)

【注释】

[1]无我阴:阴即蕴,五蕴:色、受、想、行、识,这里指五蕴和合,所以无我。

[2]水中金子的影子比喻人们在无我的五阴之身中,妄想出有我的想法,苦苦寻觅徒劳无功。

234

21.人谓故屋中有恶鬼喻

昔有故屋人,谓此室常有恶鬼,皆悉怖畏,不敢寝息。

时有一人,自谓大胆。而作是言:"我欲入此室中寄卧一宿。"即入宿止。

后有一人自谓胆勇胜于前人,复闻傍人言此室中恒有恶鬼,即欲入中。

排门将前,时先入者谓其是鬼,即复推门,遮不听[1]前。在后来者复谓有鬼。二人斗争,遂至天明。既相睹已,方知非鬼。

一切世人,亦复如是。因缘暂会,无有宰主,一一推析[2],谁是我者。然诸众生横计是非,强生诤讼,如彼二人等无差别。[3]

(《百喻经》卷三)

【注释】

[1]听:让。

[2]推析:分析。

[3]一切事物都是因缘和合而生,就是空的,并没有主宰者,没有必要去强分彼此,争论不休。

22.五百欢喜丸[1]喻

昔有一妇,荒淫无度,欲情既盛,嫉恶其夫;每思方策,规欲残害。种种设计,不得其便。

会值其大,聘使邻国。妇密为计,造毒药丸,欲用害夫。诈语夫言:"尔今远使,虑有乏短。今我造作五百欢喜丸,用为资粮,以送与尔。尔若出国至他境界,饥困之时,乃可取食。"

夫用其言,至他界已,未及食之,于夜暗中,止宿林间,畏惧恶兽,上树避之。

其欢喜丸忘置树下,即以其夜值五百偷贼,盗彼国王五百匹马,并及宝物,来止树下。由其逃突,尽皆饥渴,于其树下,见欢喜丸,诸贼取已,各食一丸。药毒气盛,五百群贼一时俱死。

时树上人至天明已,见此群贼死在树下,诈以刀箭斫射死尸,收其鞍马,驱向彼国。

时彼国王,多将人众,案迹来逐。会于中路,值于彼王。

彼王问言:"尔是何人?何处得马?"

其人答言:"我是某国人,而于道路值此群贼,共相斫射。五百群贼今皆一处死在树下。由是之故,我得此马,及以珍宝,来投王国。若不见信,可遣往看贼之疮痍[2]杀害处所。"

王时即遣亲信往看,果如其言。王时欣然,叹未曾有。既还国已,厚加爵赏,大赐珍宝,封以聚落。

彼王旧臣,咸生嫉妒,而白王言:"彼是远人,未可服信。如何卒尔宠遇过厚?至于爵赏,逾越旧臣。"

远人闻已,而作是言:"谁有勇健,能共我试?请于平原校其伎能。"旧人愕然[3],无敢敌者。

后时彼国大旷野中,有恶师子,截道杀人,断绝王路。彼时旧臣详共议之:"彼远人者,自谓勇健,无能敌者,今复若能杀彼师子[4],为国除害,真为奇特。"

作是议已,便白于王。

王闻是已,给赐刀杖,寻即遣之。

尔时远人既受敕已，坚强其意，向师子所。师子见之，奋激鸣吼，腾跃而前。远人惊怖，即便上树。师子张口、仰头向树。其人怖急，失所捉刀，值师子口。师子寻死。

尔时远人欢喜踊跃，来白于王。王倍宠遇。

时彼国人卒尔敬服，咸皆赞叹。其妇人欢喜丸者，喻不敬施[5]；王遣使者，喻善知识；至他国者，喻于诸天；杀群贼者，喻得须陀洹，强断五欲[6]，并诸烦恼；遇彼国王者，喻遭致贤圣；国旧人等生嫉妒者，喻诸外道见有智者能断烦恼、及以五欲，便生诽谤，言无此事；远人激厉而言旧臣无能与我共为敌者，喻于外道无敢抗衡；杀师子者，喻破恶魔；既断烦恼，又伏恶魔，便得无著道果[7]封赏；每常怖怯者，喻能以弱而制于强；其于初时虽无净心[8]，然彼其施遇善知识便获胜报。不净之施，犹尚如此，况复善心欢喜布施。是故应当于福田[9]所勤心修施。[10]（《百喻经》卷三）

【注释】

[1]欢喜丸：又称"欢喜团"，是一种以酥、面、蜜、姜等食材制成的食物，在古代印度较常见。

[2]疮痍：也作"创夷"，创伤。

[3]愕然：形容吃惊，表示出乎意料的心理，很是惊恐。

[4]师子：即狮子，亦称狻猊。

[5]不敬施：以妄心求福报而行布施的人。

[6]五欲：五欲指色欲、声欲、香欲、味欲、触欲，相当于众生所谓"本能"。另一种说法，五欲指财欲、色欲、饮食欲、名欲、睡眠欲。

[7]无著道果：以无碍行修菩提道而证得涅槃。

[8]净心：即清净心。指清净之信仰心、清明离垢之心，或指众生本具之自性清净心。

[9]福田：谓可生福德之田；凡敬侍佛、僧、父母、悲苦者，即可得福德、功德，犹如农人耕田，能有收获，故以田为喻，则佛、僧、父母、悲苦者，即称为福田。据《正法念处经》卷十五、《大方便佛报恩经》卷三等载，佛为大福田、最胜福田，而父母为三界内之最胜福田。据《优婆塞戒经·供养三宝品》《像法决疑经》《大智度论》卷十二、《华严经探玄记》卷八等载，受恭敬之佛法僧等，称为敬田（恭敬福田、功德福田）；受报答之父母及师长，称为恩田（报恩福田）；受怜悯之贫者及病者，称为悲田（怜愍福田、贫穷福田）。以上三者，合称三福田。

[10]故事中尽管最初是"不净施"，但是应为它是施给了善知识，所以也能得到了各种善报。不净施尚且如此，善心施舍更会得更大善报。应向能种福田的对象勤心修行布施。

23.夫妇食饼公为要喻

昔有夫妇，有三番饼，夫妇共分，各食一饼；余一番在，共作要言："若有语者，要[1]不与饼。"

既作要已，为一饼故，各不敢语。

须臾有贼，入家偷盗，取其财物；一切所有尽毕贼手。

夫妇二人以先要故，眼看不语。

贼见不语，即其夫前，侵略[2]其妇，其夫眼见，亦复不语。

妇便唤贼，语其夫言："云何痴人，为一饼故，见贼不唤？"

其夫拍手笑言："咄！婢，我定得饼，不复与尔。"

世人闻之，无不嗤笑。

凡夫之人，亦复如是。为小名利故，诈现静默，为虚假烦恼种种恶贼之所侵略，丧其善法[3]，坠堕三涂，都不怖畏。求出世道，方于五欲，耽着嬉戏，虽遭大苦，不以为患。如彼愚人等无有异。[4]（《百喻经》卷四）

【注释】

[1]要：通"约"，约定。

[2]侵略：侵犯。

[3]善法：指合乎于"善"之一切道理，即指五戒、十善、三学、六度。为"恶法"之对称。五戒、十善为世间之善法，三学、六度为出世间之善法，二者虽有深浅之差异，但皆为顺理益世之法，故称为善法。

[4]世人装出持有清净善法的样子，内心却饱受种种烦恼困扰，堕落到三恶道中却不知惧怕，贪恋五欲的苦中之乐，即使未来遭逢大苦也不为患，就和故事中丈夫为了饼，置妻子财物于不顾一样。

24.效其祖先急速食喻

昔有一人从北天竺[1]至南天竺。住止既久，即聘其女共为夫妇。

时妇为夫造设饮食,夫得急吞,不避其热。

妇时怪之,语其夫言:"此中无贼劫夺人者,有何急事,匆匆乃尔,不安徐食!"

夫答妇言:"有好密事,不得语汝。"

妇闻其言,谓有异法,殷勤问之。

良久乃答:"我祖父已来,法常快餐。我今效之,是故疾耳。"

世间凡夫,亦复如是。不达正理,不知善恶,作诸邪行,不以为耻,而云我祖父已来,作如是法,至死受行,终不舍离。如彼愚人,习其快餐,以为好法。[2](《百喻经》卷四)

【注释】

[1]天竺:印度古称。

[2]一些人不懂道理善恶,做了邪行不以为耻,不行反思,以祖先就是这样做的为由一直错下去,多么可悲啊。

25.尝庵婆罗果喻

昔有一长者,遣人持钱至他园中买庵婆罗果[1]而欲食之,而敕[2]之言:"好甜美者,汝当买来。"

即便持钱往买其果。果主言:"我此树果,悉皆美好,无一恶者。汝尝一果,足以知之。"

买果者言:"我今当一一尝之,然后当取。若但尝一,何以可知?"寻即取果一一皆尝。

持来归家,长者见已,恶而不食,便一切都弃。

世间之人,亦复如是。闻持戒施得大富乐、身常安隐,无有诸患。不肯信之,便作是言:"布施得福,我自得时然后可信。"目睹现世贵贱贫穷,皆是先业所获果报[3],不知推一以求因果,方怀不信,须己自经。一旦命终,财物丧失,如彼尝果,一切都弃。[4](《百喻经》卷四)

【注释】

[1]庵婆罗果:芒果。

[2]敕:命令。

[3]果报:即由过去的业因,所招感的结果。

[4]有些人不知道用一个事例来推断,取得其中的因果关系。非要自己都亲身经历才相信,等到自己生命终止财物都丧失了才罢休。可悲可笑。

26.诈言马死喻

昔有一人,骑一黑马,入阵击贼,以其怖故,不能战斗,便以血污涂其面目,诈现死相,卧死人中,其所乘马为他所夺。

军众既去,便欲还家,即截他人白马尾来。既到舍已,有人问言:"汝所乘马今为所在? 何以不乘?"答言:"我马已死,遂持尾来。"旁人语言:"汝马本黑,尾何以白?"默然无对,为人所笑。

世间之人,亦复如是。自言善好,修行慈心,不食酒肉,然杀害众生[1],加诸楚毒[2],妄自称善,无恶不作。如彼愚人,诈言马死。(《百喻经》卷四)

【注释】

[1]众生:又名有情,即一切有情识的动物。由众缘所生,名为众生。又历众多生死,名为众生。十法界中,除佛之外,九界有情,皆名众生。

[2]楚毒:酷刑,虐待。

27.田夫思王女喻

昔有田夫游行城邑,见国王女颜貌端正,世所希有。昼夜想念,情不能已。思与交通,无由可遂。颜色㿠黄,即成重病。

诸所亲见,便问其人:"何故如是?"

答亲里言:"我昨见王女,颜貌端正,思与交通,不能得故,是以病耳。我若不得,必死无疑。"

诸亲语言:"我当为汝作好方便,使汝得之,勿得愁也。"

后日见之,便语之言:"我等为汝,便为是得。唯王女不欲。"

田夫闻之,欣然而笑,谓呼必得。

世间愚人,亦复如是。不别时节春、秋、冬、夏,便于冬时掷种土中,望得果实,徒丧其功,空无所获,芽、茎、枝、叶一切都失。世间愚人,修习少福,谓为具足,便谓菩提[1]已可证得。如彼田夫希望王女。[2](《百喻经》卷四)

【注释】

[1]菩提:梵语 bodhi,意译觉、智、知、道。广义而言,乃断绝世间烦恼而成就涅槃的之智慧。即佛、缘觉、声闻各于其果所得的觉智。此三种菩提中,以佛之菩提为无上究竟,故称阿耨

多罗三藐三菩提，译作无上正等正觉、无上正遍智、无上正真道、无上菩提。

[2] 一些人修行了一点能感到福果的善业就认为自己可以得菩提道果了，如同农夫认为自己能娶到王女一样，多么愚蠢啊！

28.比种田喻

昔有野人^[1]，来至田里，见好麦苗生长郁茂，问麦主言："云何能令是麦茂好？"

其主答言："平治其地，兼加粪水，故得如是。"

彼人即便依法用之，即以水粪调和其田。

下种于地。畏其自脚蹋地令坚其麦不生。我当坐一床上使人轝^[2]之于上散种尔乃好耳。即使四人人擎一脚至田散种。地坚逾甚，为人嗤笑。恐己二足更增八足。

凡夫之人亦复如是。既修戒田善芽将生。应当师谘^[3]咨受行教诫。令法芽生。而返违犯。多作诸恶便使戒芽不生。喻如彼人畏其二足倒加其八。^[4]（《百喻经》卷四）

【注释】

[1]野人：农夫

[2]轝：同"舆"，抬。

[3]谘：同"咨"，问，请教。

[4]持戒刚有一定果报的时候却突然违背戒律，使善果之芽无法生长出来，就像担心两只脚踩坏了田反而增成了八只

脚一样。

29.老母捉熊喻

昔有一老母在树下卧,熊欲来搏,尔时老母绕树走避。熊寻后逐,一手抱树,欲捉老母。老母得急,即时合树,搦熊两手,熊不得动。

更有异人来至其所,老母语言:"汝共我捉,杀分其肉。"

时彼人者,信老母语,即时共捉。

既捉之已,老母即便舍熊而走。其人后为熊所困。

如是愚人为世所笑。

凡夫之人亦复如是。作诸异论[1],既不善好,文辞繁重,多有诸病,竟不成讫[2],便舍终亡。后人捉之,欲为解释,不达其意,反为其困。如彼愚人代他捉熊,反自被害。(《百喻经》卷四)

【注释】

[1]异论:不合佛法的论说。

[2]讫:完结。

30.二鸽喻

昔有雄雌二鸽,共同一巢。秋果熟时,取果满巢。于其后时,果干减少,唯半巢在。

雄嗔雌言:"取果勤苦,汝独食之,唯有半在。"

雌鸽答言："我不独食，果自减少。"

雄鸽不信，嗔恚而言："非汝独食，何由减少？"即便以觜[1]啄雌鸽杀。

未经几日，天降大雨，果得湿润，还复如故。

雄鸽见已，方生悔恨："彼实不食，我妄杀他。"即悲鸣命唤雌鸽："汝何处去！"

凡夫之人，亦复如是。颠倒[2]在怀，妄取欲乐，不观无常，犯于重禁，悔之于后，竟何所及。后唯悲叹，如彼愚鸽。[3]（《**百喻经**》卷四）

【注释】

[1]觜（zuǐ）：同"嘴"。

[2]颠倒：略作倒。谓违背常道、正理，如以无常为常，以苦为乐等反于本真事理之妄见。对于颠倒妄见之分类，诸经论所说有异。

[3]心存妄见，追求贪欲，不想世间无常迁流不住的倒立，犯下了杀、盗、淫、妄的恶果再悔不当初，如同雄鸽一样。

《佛本行集经》[1]

[隋]阇那崛多[2] 译

1.花鬘师

尔时佛告诸比丘言:我念往昔,有一河名波梨耶多。时彼河岸,有一人,是结花鬘[3]师。其人有园,在彼河侧。而彼河内,时有一龟,从水而出,至花园中,求食而行。处处经历,蹋坏其花。时彼园主。见于彼龟,处处求食,践坏其花,是时园主即作方便[4],捕捉彼龟。捉已,置于一筐箧中,将欲杀食。

尔时彼龟,作如是念:"我今云何得脱此难?作何方便?作何巧智?"即发是心:"我今可诳此之园主。"作是念已。即向园主而说偈言:

"我从水出身有泥,汝且置花洗我体;我身既有泥不净,恐畏污汝箧及花。"

时彼园主,作如是念:善哉此龟!善言教我,我今不得不取其言。我洗其身,勿令泥污我之花箧。"作是念已,即手执龟,将向水所,欲洗龟身。是时彼人,即提龟出,置于石上,抄水欲洗。是时彼龟,出大筋力,忽投没水。时花鬘师,见龟没水,作如是念:"奇哉是龟!乃能如是诳逗于我。我今还可诱诳是龟,使令出水。"时花鬘师,即向彼龟,而说偈言:"贤龟谛听我作意,汝今亲旧甚众多。我作花鬘系汝咽,恣汝归家作喜乐。"

尔时彼龟,作如是念:"此花鬘师,妄言诳我。彼花鬘师,母患着床。其姊采花造鬘,欲卖以用活命。今作是言,定是诳我。欲食我故,诱我出耳。是时彼龟,向花鬘师,而说偈言:"汝家造酒欲会亲,广作种种诸味食,汝至家内作是语,龟肉煮已脂糁[5]头!"

尔时佛告诸比丘言:"汝等比丘!欲知彼时入水龟者,我身是也。花鬘师者,魔波旬是。其于尔时,欲诳惑我,而不能著。今复欲诳,何由可得?"(《佛本行集经》卷三十四《昔与魔竞品》)

【注释】

[1]《佛本行集经》:原书六十卷,隋代来华的印度僧人阇那崛多译。"佛本行"指佛一生的行事。讲述了佛诞生、成长、出家、修行、得道、说法度化众生等故事。本经保存了各部律有关佛传的异说,对于鉴别现存不明部属的各种佛传来说,是很有用处的。

[2]阇那崛多:隋代著名译师,犍陀罗国人。童年时代,即发心出家,投本国大林寺,礼胜名为师。后随师来华传经,遭遇周武法难,未能施展其才能,到突厥后,又闲居十年,最后到长安从事译经工作,历十五年之辛劳,译出《佛本行集经》等三十余部。

[3]花鬘:花环。

[4]方便:方法。

[5]糁:同"渗"。

2.虮与猕猴

尔时,佛告诸比丘言:我念往昔,于大海中,有一大虮,其虮有妇,身正怀妊,忽然思欲猕猴心食。以是因缘,其身羸瘦,痿黄宛转,战栗不安。时彼牡[1]虮,见妇身体如是羸瘦,无有颜色,见已问言:"贤善仁者! 汝何所患? 欲思何食? 我不闻汝从我索食,何故如是?"时其牸[2]虮默然不报[3]。其夫复问:"汝今何故不向我道?"妇报夫言:"汝若能与我随心愿,我当说之;若不能者,我何假说[4]?"夫复答言:"汝但说看,若可得理,我当方便会令觅得。"

妇即语言:"我今意思猕猴心食,汝能得不? "夫即报言:"汝所须者,此事甚难。所以者何? 我居止在大海水中,猕猴乃在山林树上,何由可得?"妇言:"奈何我今意思如此之食,若不能得如是物者,此胎必堕,我身不久恐取命终。"是时其夫复语妇言:"贤善仁者! 汝且容忍,我今求去。若成此事,深不可言,则我与汝并皆庆快。"

尔时,彼虮即从海出,至于岸上。去岸不远,有一大树,名优昙婆罗[5]。时彼树有一大猕猴,在于树头,取果子食。是时彼虮既见猕猴在树上坐食于树子,见已渐渐到于树下,到已即便共相慰喻,以美语言问讯猕猴:"善哉善哉! 婆私师吒,在此树上,作于何事? 不甚辛勤受苦恼耶? 求食易得,无疲惓不? "猕猴报言:"如是仁者! 我今不大受于苦恼。"虮复重更语猕猴言:"汝在此处,何所食噉[6]? "猕猴报言:"我在优昙婆罗树上,食噉其子。"是时虮复语猕猴言:"我今见汝,甚大欢喜,遍满身体,不能自胜，我欲将汝作于善友，共相爱敬。汝取我语，何须住此？又复此树子少无多，云何乃能此处愿乐？汝可下来随逐于我，我当将汝渡海，彼岸别有大林，种种诸树花果丰饶。所谓菴婆果，阎浮果，梨拘阇果，颇那娑果，镇头迦果[7]，无量树等。"猕猴问言："我今云何得至彼处？海水深广，甚难越渡，我当云何堪能浮渡？"是时彼虬报猕猴言："我背负汝，将渡彼岸，汝今但当从树下来骑我背上。"

尔时猕猴，心无定故，狭劣愚痴，少见少知，闻虬美言心生欢喜，从树而下，上虬背上，欲随虬去。其虬内心生如是念："善哉善哉！我愿已成。"即欲相将至自居处，身及猕猴俱没于水。是时猕猴问彼虬言："善友！何故忽没于水？"虬即报言："汝不知也。"猕猴问言："其事云何？欲何所为？"虬即报言："我妇怀妊，彼如是思欲汝心食，以是因缘，我将汝来。"

尔时猕猴作如是念："呜呼我今甚不吉利！自取磨灭。呜呼我今作何方便，而得免此急速厄难，不失身命？"复如是念："我须诳虬。"作是念已，而语虬言："仁者善友！我心留在优昙婆罗树上寄着，不持将行。仁于当时，云何依实不语我知今须汝心？我于当时，即将相随。善友还回，放我取心，得已还来。"尔时，彼虬闻于猕猴如是语已，二俱还出。猕猴见虬欲出水岸，是时猕猴，努力奋迅，捷疾跳踯，出大筋力，从虬背上跳下，上彼优昙婆罗大树之上。其虬在下少时停待，见彼猕猴淹迟[8]不下，而语之言："亲密善友！汝速下来，共汝相随，至于我家。"猕猴嘿然[9]，不肯下树。虬见猕猴经久不下，而说偈言："善友猕猴得心已，愿从树上速下来，我当送汝至彼林，多饶种种诸果处。"

尔时，猕猴作是思惟："此虬无智。"如是念已，即向彼虬而说偈言:"汝虬计挍[10]虽能宽,而心智虑甚狭劣,汝但审谛自思忖,一切众类谁无心?彼林虽复子丰饶,及诸庵罗等妙果,我今意实不在彼,宁自食此优昙婆。"

尔时,佛告诸比丘言:"汝诸比丘!当知彼时大猕猴者,我身是也;彼时虬者,魔波旬是。于时犹尚诳惑于我,而不能得,今复欲将世间自在五欲之事,而来诱我,岂能动我此之坐处?"作是语已,时,诸比丘复白佛言:"希有世尊!奇特世尊!实难思议。此事云何?魔王波旬,将此丑陋异类军众,至如来所,如来复能一一观知。(《佛本行集经》卷三十四《昔与魔竞品》)

【注释】

[1]牡:雄性动物。

[2]牸(zì):雌性动物。

[3]不报:不应声。

[4]我何假说:我何必说呢?假,凭借、利用。

[5]优昙婆罗:梵文 udumbara 的音译,意译为灵瑞,是拘那含佛(过去七佛之一)悟道时身后那一棵遮阳避雨的树种。开花,亦结果。花朵被称作优昙钵花,老枝圆柱形,新枝扁平,绿色,呈叶状。

[6]啖(dàn):吃。

[7]菴婆:梵语 amra 的音译,乔木名。阎浮:梵语 jambu 的音译,乔木名。梨拘阇,颇那娑,也为果树名。镇头迦:梵语tinduka的音译,柿子树。

[8]淹迟:缓慢。

[9]嘿(mò)然:沉默无言的样子。嘿,同"默"。

[10]计校(jiào)：同"计较"。

3.二头鸟

我念往昔，久远世时，于雪山下，有二头鸟，同共一身，在于彼住。一头名曰迦喽嗏鸟，一名优波迦喽嗏鸟。而彼二鸟，一头若睡，一头便觉。其迦喽嗏，又时睡眠。近彼觉头，有一果树，名摩头迦[1]，其树华落风吹，至彼所觉头边。其头尔时作如是念："我今虽复独食此华，若入于腹，二头俱时得色得力，并除饥渴。"而彼觉头，遂即不令彼睡头觉，亦不告知，默食彼华。

其彼睡头，于后觉时，腹中饱满，咳嗽气出，即语彼头，作如是言："汝于何处，得此香美微妙饮食，而啖食之，令我身体，安稳饱满，令我所出音声微妙？"

彼头报言："汝睡眠时，此处去我头边不远，有摩头迦华果之树。当于彼时，一华堕落，在我头边。我于尔时，作如是念：今我但当独食此华，若入于腹，俱得色力，并除饥渴。是故我时不令汝觉，亦不语知，即食此华。"

尔时彼头闻此语已，即生嗔怒嫌恨之心，作如是念："其所得食，不语我知，不唤我觉，即便自食。若如此者，我从今后，所得饮食，我亦不唤彼觉语知。"

而彼二头，至于一时，游行经历，忽然值得一个毒华。便作是念："我食此华，愿令二头俱时取死！"于是语彼迦喽嗏言："汝今睡眠，我当觉住。"

时迦喽嗏闻彼优波迦喽嗏头如是语已，便即睡眠，其彼优波迦喽嗏头，寻食毒华。迦喽嗏头既睡觉已，咳哕[2]气出，于是即觉有此毒气,而告彼头,作如是言:"汝向觉时,食何恶食,令我身体,不得安隐,命将欲死?又令我今语言粗涩,欲作音声,障碍不利。"

于是觉头报彼头言:"汝睡眠时,我食毒华。愿令二头,俱时取死!"

于是彼头语别头言:"汝所为者,一何太卒!云何乃作如是事也!"即说偈言:"汝于昔日睡眠时,我食妙华甘美味,其华风吹在我边,汝反生此大瞋恚。凡是痴人愿莫见,亦愿莫闻痴共居。

佛告诸比丘:"汝等若有心疑,彼时迦喽嗏鸟,食美华者,莫作异见,即我身是。彼时优波迦喽嗏鸟,食毒华者,即此提婆达多是也。我于彼时,为作利益,反生瞋恚。今亦复尔,我教利益,反更用我为怨仇也。"(《佛本行集经》卷五十八《婆提唎迦等因缘品》)

【注释】

[1]摩头迦:梵语 Madhuka,意译"美果",旧译"摩头"。果实形状如枣,味甜。

[2]哕(yuě):呕吐。

《根本说一切有部毗奈耶破僧事》[1]

[唐]义净[2] 译

1.仙人与象

乃往古昔,此婆罗疧斯城[3]有一大村,去村不远有一大林,花果茂盛,流泉浴池。有一仙人名憍尸迦,在彼林中,每食堕落之果,衣服树皮[4],心大慈悲,种种禽兽皆咸依附。有一母象在彼林中,当产之时,闻师子吼,心大惊怖,失大、小便[5],弃子而走,出于林中。时仙采果,见小象子,知其失母。仙起慈心,愍彼象子,寻觅其母,求不能得,遂收象子,至自住处而鞠养之,如子无异。既渐长大,便坏仙处花果树木。仙既见已。遂即嗔责。象知仙嗔,更不损林。象又渐大,心极猛盛,后复损林。仙又诃责,象无怖惧。仙加苦嗔,象起害心,欲践仙人。仙走入室,象以鼻牙损仙半屋,便即自走。时树林神即说颂曰:

佛告诸苾刍[6]:"往昔仙人者,今我身是;往昔象者,今提婆达多是。往昔无恩,今亦如是无有善报,汝等当知。(《根本说一切有部毗奈耶破僧事》卷十五)

【注释】

[1]《根本说一切有部毗奈耶破僧事》:原书共二十卷,是由唐代高僧义净译出。"根本说一切有部"是佛教部派之一,佛灭

后三百年，由部派佛教上座部所分出，"毗奈耶"是律藏的音译，是戒律的意思。本书是规定戒律的典籍。此书记述释迦牟尼佛的祖先王统，入胎出生，早年生活，出家成道，早期传教等事。因为书中特别记载了提婆达多破坏僧团之事，故得此名。

[2]义净(635~713)：中国唐代僧人，旅行家，中国佛教四大译经家之一。俗姓张，字文明。幼年出家，天性颖慧，遍访名德，博览群籍。义净的西行和翻译佛经活动对唐朝的佛学产生了很大影响。从印度归来时，义净除了带回近四百部合五十万颂佛经外，还带回金刚座真容一铺，舍利三百粒，这些都成为中国宗教界的瑰宝。所译佛经以律籍为主，其中特别是根本说一切有部，体例范围都较完备。

[3]婆罗疤(niè)斯城：通常译作"波罗奈城"，意译"江绕城"，因位于恒河流域故得名。

[4]衣服树皮：以树皮为衣。

[5]失大、小便：大小便失禁。

[6]苾刍：即比丘，也作"苾蒭"。

2.猎人与动物

时有一人入山采木，路逢师子，便即逃窜，堕落井中。师子奔趁[1]，不见其井，遂堕其上。而有毒蛇逐鼠，鸥[2]欲拨鼠，此三一时俱堕井内，各起害心欲相啖食。师子曰："今此井中，我有势力，能食汝等。然而共在厄难之处，宜息恶心，莫相损害。"因缘会遇，属[3]有猎师逐鹿至此，向下看井。其井中人遂发大声唱言："丈夫，愿见救济。"

是时猎师先拔师子，令出井中。师子即便礼猎师足，白言："我今知汝深恩，必当报谢。其在井中黑头虫者，不识恩义，必莫救之。"师子即去。于后猎师所有井中人、蛇、虫、鸟等，次第悉皆救出。后时师子捉得一鹿，猎师因行，遇至其所。救师子见来，即便以鹿授与猎师，跪拜而去。后于一时，其梵授王及诸宫人出城游戏，至苑园中，恣意欢娱，遂便睡著。时诸宫人见王睡已，心无畏惧，或有经行，或有立者，或有坐者，或有眠者，或有远去，或有脱衣晒污，或有解脱璎珞，在其傍边便即眠睡，堕井鸥鸟衔其璎珞遂将远去，与彼能救猎，以报恩德奉上璎珞。时梵授王眠觉，与诸眷属、臣佐速归入城。于时失缨络宫人遍观其处，不见缨络，诣王白言："大王，在苑园中而失缨络。"时王便告诸大臣曰："在诸苑园已失缨络，汝等须为访觅，是谁盗将？"时诸臣佐既奉王命，即便访觅。

时黑头虫时时往彼猎师之处，而觅方便觑[4]其璎珞，见已便知是王缨络，今在于此。其黑头虫便弃恩义，遂诣王所白言："大王，所失璎珞，我今具知在猎师处。"王闻是语，便即嗔怒，即令使者往捉猎师。时王使人至猎师所，告言："汝于苑园中盗王宫人缨络。"其猎师恐惧答云："我等实不盗王璎珞。"具向使者陈说所得来由，还其璎珞。使者得已，将诣王所，其猎师当处即被囚缚。于时其鼠见已，急往报蛇，向蛇白说："其黑头虫罪恶之人，不识恩德，遂令我善知识被王使者见今囚缚。"蛇闻语已，答言："汝报猎师，我今日为尔向王宫中，螫于王身。汝当咒持，我即收毒。王当欢喜决定放汝，亦即与汝赏赐。"其鼠得此语已，即具报猎师。猎师云："善哉，当如是作。"

其蛇即螫[5]王身。王时患苦，毒遍其身，广召医师："谁能治我？"时诸医师无能治者。王既遍告，猎师闻己，遂遣所执当人：
"汝当为我白王，我能治得。"其执使者具事白王。王言："即令
解放将来。"既至王所，猎师为治，手下即差[6]，便即释放。王甚
欢喜，重与赏赐。

佛告诸苾刍等："汝意云何，岂是异人耶？时猎师者，我身
是也；彼黑头虫不识恩义者，提婆达多是也。往昔之时无恩无
义，不知恩德。今亦不知恩义，亦不知恩德。"（《根本说一切有
部毗奈耶破僧事》卷十七）

【注释】
[1]奔趁：奔跑追逐。
[2]鸱(chī)：指鸱鹰。
[3]属：恰好。
[4]觑：窥伺。
[5]螫(shì)：毒蛇咬刺。
[6]差：通"瘥"，病痊愈。

3.猫与鼠

乃往昔时，有异方[1]所，有一鼠王，与五百鼠为眷属。有一
猫子，名曰火焰。其猫少年之时，所有鼠等，悉皆杀害，后年老
迈，便作是念："我昔少时，气力强盛以力捉鼠而食。我今年既
朽迈，气力微薄，不能捉获。设何方便，而捉获鼠？"

作是念已，遍观其地，乃见一鼠王与五百鼠而为眷属，住
此方所。即就鼠穴，诈作坐禅。时诸群鼠出穴游行。乃见老猫

安然坐禅,其鼠问曰:"阿舅,今何所作?"

老猫答曰:"我昔少年,气力盛壮,作无量罪。今欲修福,除其旧罪。"

时群鼠等,闻是语已,皆发善心:"今此老猫,修行善法。"即与鼠等,右绕[2]老猫,行于三匝,便入于穴。其老猫取其最末后者而食。

不经多时,其鼠渐少。鼠王既见此已,便作是念:"我鼠等渐渐数少,其老猫气力肥盛,是事必有缘由。"其鼠王即便观察,乃见老猫于其粪中有鼠毛骨,心即知:"老猫食我鼠等,我今深观捉鼠之时。"

作是念已,便即于窟而看老猫,乃见老猫捉最末后鼠而食。鼠王见已,避远而立,遂说颂曰:"老猫身渐肥,群鼠积渐少;食苗实根叶,粪不应毛骨。汝今修禅不谓善,为利诈作修善人;愿汝无病安稳住,我今群鼠汝食尽!"(《根本说一切有部毗奈耶破僧事》卷二十)

【注释】

[1]异方:指他乡或异域。

[2]右绕:印度风俗,右绕表示尊敬。

4.猕猴捞月

乃往古昔,有一闲静林野之处,有群猕猴游住。于此时诸猕猴游行,渐至一井。乃观井底,见彼月影。既见月已,诣猴王处白言:"大王应知,其月现堕井中。我等今应速往拔出,依旧安置。"是诸猕猴,咸赞言:"善!"便相议曰:"云何方便,可能拔月?"其中或云:"不须余计,我等连肱为索[1],而拔出之。"

时一猕猴,在井树上,攀枝而住,其余一一次第以手相接。猕猴既多,树枝低下欲折。时彼最下近水之者,搅水乱月。由水浑故,月便不现。树枝便折,一时堕水,被溺而死。

时有诸天,而说颂曰:"此诸痴猕猴,为彼愚导师。悉堕于井中,救月而溺死!"(《根本说一切有部毗奈耶破僧事》卷二十)

【注释】

[1]连肱(gōng)为索:以手臂相接当作绳索。"肱"是手臂从肘到腕的部分。

《高僧传》[1]

[梁]慧皎[2]

1.汉洛阳安清

安清,字世高,安息国王正后之太子也。幼以孝行见称,加又志业聪敏,克意好学,外国典籍及七曜、五行[3]、医方、异术,乃至鸟兽之声,无不综达。尝行见群燕,忽谓伴曰:"燕云应有送食者。"顷之,果有致焉。众咸奇之,故俊异之声,早被西域。高虽在居家,而奉戒精峻,王薨,便嗣大位。乃深惟苦空,厌离形器,行服既毕,遂让国与叔,出家修道。博晓经藏,尤精阿毗昙学,讽持《禅经》,略尽其妙。

既而游方弘化,遍历诸国,以汉桓之初[4],始到中夏[5]。才悟机敏,一闻能达,至止未久,即通习华言。于是宣译众经,改胡为汉[6],出《安般守意》《阴持入》、大小《十二门》及《百六十品》[7]。初外国三藏[8]众护[9]撰述经要为二十七章,高乃剖析护所集七章,译为汉文,即《道地经》[10]是也。其先后所出经论,凡三十九部。义理明析,文字允正,辩而不华,质而不野,凡在读者,皆亹亹[11]而不倦焉。

高穷理尽性,自识缘业[12],多有神迹,世莫能量。初高自称先身已经出家,有一同学多瞋,分卫值施主不称,每辄恚恨[13]。高屡加诃谏[14],终不悛改[15]。如此二十余年,乃与同学辞诀[16]

云："我当往广州，毕宿世之对[17]。卿明经精勤，不在吾后，而性多瞋怒，命过[18]当受恶形[19]。我若得道，必当相度。"既而遂适广州。值寇贼大乱，行路逢一少年，唾手拔刃曰："真得汝矣。"高笑曰："我宿命负卿，故远来相偿，卿之忿怒，故是前世时意也。"遂申颈受刃，容无惧色，贼遂杀之。观者填陌，莫不骇其奇异。既而神识[20]，还为安息王太子，即今时世高身是也。

高游化中国，宣经事毕，值灵帝[21]之末，关雒[22]扰乱，乃振锡江南。云："我当过庐山，度昔同学。"行达㲀亭湖[23]庙。此庙旧有灵威，商旅祈祷，乃分风上下[24]，各无留滞。尝有乞神竹者，未许辄取，舫即覆没，竹还本处。自是舟人敬惮，莫不慑影。高同旅三十余船，奉牲请福，神乃降祝[25]曰："船有沙门，可便呼上。"客咸惊愕，请高入庙。神告高曰："吾昔外国与子俱出家学道，好行布施，而性多瞋怒，今为㲀亭庙神，周回千里，并吾所治，以布施故，珍玩甚丰，以瞋恚故，堕此神报。今见同学，悲欣可言。寿尽旦夕，而丑形长大，若于此舍命，秽污江湖，当度山西泽中。此身灭后，恐堕地狱，吾有绢千疋[26]，并杂宝物，可为立法营塔，使生善处也。"高曰："故来相度，何不出形？"神曰："形甚丑异，众人必惧。"高曰："但出，众人不怪也。"神从床后出头，乃是大蟒，不知尾之长短。至高膝边，高向之梵语数番，赞呗[27]数契，蟒悲泪如雨，须臾还隐。高即取绢物，辞别而去。舟侣飏帆[28]，蟒复出身，登山而望，众人举手，然后乃灭。倏忽之顷，便达豫章[29]，即以庙物造东寺。高去后，神即命过。暮有一少年上船，长跪高前，受其咒愿，忽然不见。高谓船人曰："向之少年即㲀亭庙神，得离恶形矣。"于是庙神歇末，无复灵验。后人于山西泽中，见一死蟒，头尾数里，今浔阳郡[30]蛇村是也。

高后复到广州，寻其前世害己少年。时少年尚在，高径至其家，说昔日偿对之事，并叙宿缘，欢喜相向，云："吾犹有余报，今当往会稽[31]毕对。"广州客悟高非凡，黯然意解，追悔前愆[32]，厚相资供，随高东游，遂达会稽。至便入市，正值市中有乱相打者，误著高头，应时陨命。广州客频验二报，遂精勤佛法，具说事缘，远近闻知，莫不悲恸，明三世[33]之有征也。

高既王种，西域宾旅皆呼为安侯，至今犹为号焉。天竺国自称书为天书，语为天语，音训诡蹇[34]，与汉殊异。先后传译，多致谬滥，唯高所出，为群译之首。(《高僧传》卷一)

【注释】

[1]《高僧传》：十四卷，南朝梁代慧皎撰。魏晋南北朝时期汉地佛教发达，僧人传记亦有多种，慧皎《高僧传》是其中最重要的一部。该著作收录的传记，记载了活动于汉明帝永平十年至梁天监十八年的二百五十七人之事迹，此外还涉及"傍出附见者二百余人"。《高僧传》将传主按身份、主要作为分成译经、义解、神异、习禅、明律、忘身、诵经、兴福、经师、唱导十类，开启了后世僧传编纂"十科分类"的体制。此著作不但有历史价值，为研究魏晋南北朝时期的佛教史和僧人实际提供了全面翔实的材料，还因其人物描写生动细致，记载详略得当而有较高的文学价值。

[2]慧皎(497~554)：族氏不详，会稽上虞(今浙江绍兴一带)人。道宣《续高僧传》中说他"学通内外博训经律"，早年住会稽嘉祥寺传道，春夏弘法，秋冬著述。承圣二年(553年)为

避侯景兵乱,迁居溢城(今江西九江),次年二月逝世,葬于庐山禅阁寺墓。慧皎的著作除现存的《高僧传》,还有《涅槃经义疏》十卷及《梵网经疏》三卷,惜已不存。

[3]七曜、五行:七曜亦作"七耀""七燿",指日、月和金、木、水、火、土五星。五行指水、火、木、金、土,是古代关于构成各种物质的五种元素的说法,古人常以此解释宇宙万物的起源和变化,医学、占卜等活动都涉及五行学说。

[4]汉桓之初:汉桓帝在位初年。汉桓帝 147 年至 167 年在位,是东汉第十一位皇帝。

[5]中夏:中国,中原地区。

[6]改胡为汉:把梵语翻译为汉语。

[7]《安般守意》《阴持入》、大小《十二门》及《百六十品》:皆为安世高翻译的经书。《安般守意》即安世高所译的《大安般守意经》二卷及《小安般经》一卷,内容叙述坐禅时行数息观(默数出入息,令心随息而定)以之收敛散心;《阴持入经》阐明五阴及十二入之法相,并细说三十七品经法(四意止、四意断、四神足、五根、五力、七觉意、贤者八种道行),更进而阐论由道谛通达解脱之方法;大小《十二门》指《大十二门经》与《小十二门经》各一卷;《百六十品经》一卷。

[8]三藏:佛教的法教分为三藏,即经藏、律藏及论藏。此处指精通三藏的三藏法师。

[9]众护:僧人名,梵语 Samgharaksa,音译僧伽罗刹,意译"众护"。众护是须赖国人,早年出家,游化诸邦,后来在印度西北健驮逻国成为为甄陀罽贰王之师。聪明绝世,多所述作。

[10]《道地经》:僧伽罗刹著《修行道地经》,安世高选译的

262

版本为《道地经》。本书纂集众经所说有关瑜伽观行之大要。

[11]亹(wěi)亹:本义缓慢流动,无止无休,用来形容勤勉不倦貌。

[12]缘业:缘,梵语为 pratyaya,指因其结果的原因;业,梵语为 karman,为造作之意,指由过去行为造成的种种力量。缘业属于佛教因果论的说法。

[13]怼(duì)恨:怨恨。

[14]诃谏:斥责并劝阻。

[15]悛(quān)改:悔改。

[16]辞诀:分别。

[17]毕宿世之对:了结前世的业力。

[18]命过:死去。

[19]恶形:丑恶的形貌。

[20]神识:神魂。

[21]灵帝:东汉第十二位皇帝,公元 168 年至 189 年在位。

[22]关雒:"雒"通"洛"。关洛即关中和洛阳,泛指北方地区。

[23]郏亭湖:即宫亭湖,原专指今江西星子县东南鄱阳湖的一部分,因湖旁庐山下有宫亭庙得名。后亦泛指古彭蠡湖全部。

[24]分风上下:指神仙把风分为不同的方向。

[25]降祝:发出命令。

[26]疋(pǐ):古同"匹"。

[27]赞呗:赞叹佛德的梵呗,呗即依曲调讽诵经文。

[28]飏帆:扯起船帆,鼓风前进。

[29]豫章:豫章郡,大致在现在的江西北部。

[30]浔阳郡：大致是现在的江西九江。

[31]会稽：会稽郡，位于长江下游江南一带。

[32]前愆：前世的罪愆。

[33]三世：前世、今生与来世。

[34]诡寋："寋"通"謇"，怪异艰涩。

2.宋江陵辛寺[1]释法显[2]

释法显，姓龚，平阳武阳[3]人，有三兄，并髫龀[4]而亡，父恐祸及显，三岁便度为沙弥。居家数年，病笃欲死，因以送还寺，信宿[5]，便差[6]不肯复归，其母欲见之不能得，后为立小屋于门外，以拟去来。十岁遭父忧[7]，叔父以其母寡独不立，逼使还俗，显曰："本不以有父而出家也，正欲远尘离俗，故入道耳。"叔父善其言，乃止。顷之，母丧，至性过人，葬事毕，仍即还寺。尝与同学数十人，于田中刈稻。时有饥贼欲夺其谷，诸沙弥悉奔走，唯显独留。语贼曰："若欲须谷，随意所取，但君等昔不布施，故致饥贫，今复夺人，恐来世弥甚，贫道预为君忧耳。"言讫即还，贼弃谷而去，众僧数百人，莫不叹服。及受大戒，志行明敏，仪轨整肃，常慨经律舛阙[8]，誓志寻求。

以晋隆安三年[9]，与同学慧景、道整、慧应、慧嵬等，发自长安。西渡流沙，上无飞鸟，下无走兽，四顾茫茫，莫测所之。唯视日以准[10]东西，望人骨以标行路耳，屡有热风恶鬼，遇之必死，显任缘委命，直过险难。有顷，至葱岭，岭冬夏积雪，有恶龙吐毒，风雨沙砾，山路艰危，壁立千仞。昔有人凿石通路，傍施梯道，凡度七百余所。又蹑悬絙[11]过河，数十余处，皆汉之

264

张骞[12]、甘父[13]所不至也。次度小雪山，遇寒风暴起，慧景噤战不能前，语显曰："吾其死矣，卿可前去勿得俱殒。"言绝而卒，显抚之泣曰："本图不果，命也奈何。"复自力孤行，遂过山险，凡所经历三十余国。

将至天竺，去王舍城三十余里，有一寺，逼冥[14]过之。显明旦欲诣耆阇崛山[15]。寺僧谏曰："路甚艰阻，且多黑师子，亟经啖人，何由可至？"显曰："远涉数万，誓到灵鹫[16]，身命不期，出息非保，岂可使积年之诚，既至而废耶。虽有险难，吾不惧也。"众莫能止，乃遣两僧送之。显既至山，日将昏夕，欲遂停宿。两僧危惧，舍之而还。显独留山中，烧香礼拜，翘感旧迹，如睹圣仪。至夜有三黑师子，来蹲显前，舐唇摇尾，显诵经不辍，一心念佛。师子乃低头下尾，伏显足前，显以手摩之，咒曰："若欲相害，待我诵竟，若见试者，可便退矣。"师子良久乃去。明晨还返，路穷幽梗，止有一迳通行，未至里余，忽逢一道人，年可九十，容服粗素，而神气俊远。显虽觉其韵高，而不悟是神人。后又逢一少僧，显问曰："向耆年[17]是谁耶？"答云："头陀迦叶[18]大弟子也。"显方大惋恨，更追至山所，有横石塞于室口，遂不得入，显流涕而去。进至迦施国[19]，国有白耳龙，每与众僧约，令国内丰熟，皆有信效。沙门为起龙舍，并设福食，每至夏坐讫，龙辄化作一小蛇，两耳悉白，众咸识是龙，以铜盂盛酪，置龙于中，从上座至下行之遍，乃化，去年辄一出，显亦亲见。

后至中天竺[20]，于摩竭提邑波连弗阿育王塔南天王寺[21]，得《摩诃僧祇律》，又得《萨婆多律抄》《杂阿毗昙心》《綖经》《方等泥洹经》等。显留三年，学梵语梵书，方躬自书写，于是持经像，寄附商客，到师子国[22]。显同旅十余，或留或亡，顾影唯己，常怀悲慨。忽于玉像前，见商人以晋地一白团绢扇供养，不觉凄然下泪。停二年，复得《弥沙塞律》《长》《杂》二含及杂藏本[23]，并汉土所无。

　　既而附商人大舶，循海而还。舶有二百许人，值暴风水入，众皆惶懅，即取杂物弃之。显恐弃其经像，唯一心念观世音，及归命汉土众僧，舶任风而去，得无伤坏。经十余日，达耶婆提国[24]，停五月，复随他商，东适广州。举帆二十余日，夜忽大风，合舶震惧，众咸议曰："坐[25]载此沙门，使我等狼狈，不可以一人故，令一众俱亡。"共欲推之，法显檀越厉声呵商人曰："汝若下此沙门，亦应下我，不尔，便当见杀。汉地帝王奉佛敬僧，我至彼告王，必当罪汝。"商人相视失色，僶俯[26]而止。既水尽粮竭，唯任风随流。忽至岸，见藜藋菜[27]依然，知是汉地，但未测何方，即乘船入浦寻村。见猎者二人。显问此是何地耶。猎人曰："此是青州长广郡牢山[28]南岸。"猎人还。以告太守李嶷，嶷素敬信，忽闻沙门远至，躬自迎劳。显持经像随还。

　　顷之，欲南归，青州刺史请留过冬，显曰："贫道投身于不反之地，志在弘通，所期未果，不得久停。"遂南造京师，就外国禅师佛驮跋陀[29]于道场寺译出《摩诃僧祇律》《方等泥洹经》《杂阿毗昙心》垂百余万言。显既出《大泥洹经》，流布教化，咸使见闻。有一家失其姓名，居近朱雀门，世奉正化，自写一部，读诵供养，无别经室，与杂书共屋。后风火忽起，延及其家，资物皆尽，唯《泥洹经》俨然具存，煨烬[30]不侵，卷色无改，京师共传，咸叹神妙，其余经律未译。

　　后至荆州[31]，卒于辛寺，春秋八十有六，众咸恸惜。其游履诸国，别有大传焉。（《高僧传》卷三）

266

【注释】

[1]江陵辛寺:江陵是东晋时期荆州的政治中心,位置大致是现在的湖北省荆州市。魏晋南北朝时期荆州佛教发达,辛寺是当时的一座重要寺庙。

[2]释法显:(337~422),东晋高僧、旅行家、翻译家。著有《佛国记》,是佛教研究和中外交通史的重要资料。

[3]平阳武阳:平阳郡武阳县,今山西襄垣。

[4]髫(tiáo)龀(chèn):亦作"髫龀",幼年。

[5]信宿:连住两夜。

[6]差:通"瘥",痊愈。

[7]遭父忧:父亲去世。"忧"是父母去世之意。

[8]舛(chuǎn)阙:错误和缺失。

[9]晋隆安三年:"隆安"是东晋安帝司马德宗的年号。"隆安三年"为公元399年。

[10]准:确定,确认。

[11]悬绠(gēng):悬空的大绳索。

[12]张骞:字子文,汉中郡城固县(今陕西省城固县)人,西汉探险家、旅行家和外交家,为丝绸之路的开拓做出过重大贡献。

[13]甘父:汉朝时期匈奴人。因在战争中被俘虏,成为堂邑县一贵族家奴仆,所以又称堂邑父。甘父长于射箭,被释后加入汉军,于公元前138年作为向导和助手随张骞出使西域。西行队伍在路上遭遇百般艰难,最后张骞与甘父二人安全回到汉地。

[14]逼冥:接近夜晚。

[15]耆阇崛山:见《生经·佛说堕珠著海中经第八》注释。

[16]灵鹫:同耆阇崛山。

[17]耆年:老人。

[18]头陀迦叶:释迦牟尼弟子迦叶尊者,头陀第一。头陀即修习苦行。

[19]迦施国:一般称为桑伽施国(Sankassa),是位于中印度恒河流域的古国,佛教八大圣地之一,为释迦牟尼自忉利天返回临降处。

[20]中天竺:中古时期的印度被划分为东、西、南、北、中五区域,统称五天竺。中天竺即中印度。

[21]摩竭提邑波连弗阿育王塔南天王寺:有些版本中“邑”字在“波连弗”后,似更准确。即摩竭提国(摩揭陀国)波连弗一地的阿育王塔南天王寺。

[22]师子国:又称僧伽罗国,即现在的斯里兰卡。

[23]杂藏本:佛灭后,经典之结集有二藏、三藏、四藏、五藏之别。经量部为经、律二藏之结集,萨婆多部为三藏之结集,大众部为四藏或五藏之结集。四藏即三藏与杂藏,其中三藏为经藏、律藏、论藏,杂藏摄一切菩萨之教行。

[24]耶婆提国:古国名,故地在今印度尼西亚爪哇岛或苏门答腊岛,是古代中西海上交通线上的要地。

[25]坐:因。

[26]俚(mǐn)俯:勉强的样子。

[27]藜藿(diào)菜:即灰藋,别名小藜、小叶藜等,有去湿解毒、解热、缓泻之效。见于中国各地区。

[28]青州长广郡牢山:青州长广郡位于今山东青岛以北,临海。牢山,即崂山。

[29]佛驮跋陀:梵名 Buddhabhadra,又作佛陀跋陀罗,意译作觉贤。北印度那呵利城人,于后秦弘始十年(408)顷入长安,是当时著名的译经僧。

[30]煨烬:经焚烧而化为灰烬。

[31]荆州:东晋时期的荆州包括现在湖南、湖北的大部分地区和河南南部部分地区。

《续高僧传》[1]

[唐]道宣[2]

1.齐邺下南天竺[3]僧菩提达摩[4]传

菩提达摩,南天竺婆罗门种。神慧疏朗,闻皆晓悟。志存大乘,冥心虚寂。通微彻数,定学高之[5]。悲此边隅[6],以法相导。初达宋[7]境南越[8],末又北度至魏[9]。随其所止,诲以禅教。于时合国盛弘讲授,乍闻定法[10],多生讥谤。有道育[11]、慧可[12],此二沙门,年虽在后,而锐志高远。初逢法将[13],知道有归,寻亲事之,经四五载,给供咨接。感其精诚,诲以真法:

如是安心,谓壁观也;如是发行,谓四法也;如是顺物,教护讥嫌;如是方便,教令不著。然则入道多途,要唯二种:谓理、行也。[14]

藉教悟宗,深信含生同一真性,客尘障故。令舍伪归真,疑住壁观,无自无他,凡圣等一,坚住不移,不随他教,与道冥符,寂然无为,名"理入"也。

行入四行,万行同摄。初"报怨行"者,修道苦至,当念往劫,舍本逐末,多起爱憎,今虽无犯,是我宿作。甘心受之,都无怨对。经云:"逢苦不忧,识达故也。"此心生时,与道无违,体怨进道故也。二"随缘行"者,众生无我,苦乐随缘,纵得荣誉等事,宿因所构,今方得之,缘尽还无,何喜之有?得失随缘,心无

270

增减,违顺风静,冥顺于法也。三名"无所求行",世人长迷,处处贪著,名之为求。道士悟真,理与俗反,安心无为,形随运转。三界皆苦,谁而得安?经曰:"有求皆苦,无求乃乐也。"四名"称法行",即性净之理也。

摩以此法,开化魏土。识真之士,从奉归悟。录其言诰,卷流于世。自言年一百五十余岁。游化为务,不测于终。(《续高僧传》卷十六)

【注释】

[1]《续高僧传》:又作《唐高僧传》,三十卷,唐代僧人道宣撰。道宣认为慧皎《高僧传》中梁代僧人传记过少,因此收集材料编写此书, 内容为从梁代初叶到唐贞观十九年共一百四十四年间的僧人传记, 包括正传三百三十一人、附见一百六十人。贞观十九年成书之后的二十多年间又有所补充。该书继承了慧皎《高僧传》十科分类的体制,与《高僧传》《宋高僧传》《大明高僧传》合称"四朝高僧传"。

[2]道宣(596~667),俗姓钱,吴兴(今浙江湖州市)人,一说丹徒(今江苏丹徒)人,生于长安。道宣十五岁出家,二十岁受具足戒。早年四方参学,唐武德七年(624年)结庐终南山,居净业寺。道宣一生精研律学,颇有建树,又因其长期居于终南山,故后人称他所传弘的《四分律》学为南山宗,并尊他为汉传佛教律宗南山宗初祖。道宣所著除《续高僧传》之外,还有《广弘明集》《量处轻重仪》以及一些与《四分律》相关的著作。

[3]南天竺:中古时期的印度被划分为东、西、南、北、中五区,统称为五天竺,南天竺即南印度。

[4]菩提达摩:梵名 Bodhidharma。本是印度人,南朝时期来中国,为中国禅宗初祖,被尊称为"东土第一代祖师""达摩祖师"。其主要的理论是"二入四行说"。

[5]定学高之:在定学上有高深的修养。"定学"即禅定之学,与戒学、慧学并称为佛教三学,通过定心治乱来达到涅槃境界。

[6]悲此边隅:指达摩为汉地佛法未弘而生悲悯之心。

[7]宋:南北朝时期南朝的第一个朝代,由宋武帝刘裕建立于公元 420 年,479 年灭亡。达摩祖师到达中国的时间有不同说法,有文献记载是梁普通八年(527 年),而胡适《菩提达摩考》及《书菩提达摩考后》二文认为据推断当是在公元470年左右。

[8]南越:现在的两广一带。达摩初到中国所到之处是现在的广州。

[9]魏:南北朝时期北朝的第一个朝代,由鲜卑族拓跋珪建立于 386 年,557 年灭亡。达摩到达中国南方后不久就北上入魏。

[10]定法:即定学。

[11]道育:一作"慧育",是达摩最初的弟子之一,《景德传灯录》中记载了达摩临终时自许慧可得髓、道育得骨的传说。

[12]慧可:又作僧可,俗姓姬,初名神光,河南洛阳人,为禅宗二祖。其禅学思想传自达摩,受达摩所传四卷《楞伽》,重视念慧,不重语言。

[13]法将:在佛法上有造诣的大师。

[14]然则入道多途,要唯二种:谓理、行也:此即达摩的主要禅学理论"二入四行"中的"二入","入"即入道之途。其中

"理入"即藉教悟宗，主要方法是"壁观"，意为一意禅观，身心如墙壁，令一切妄想不能侵入；"行入"即以"四行"统摄万行而入道。

2.齐邺中释僧可传（节选）

释僧可，一名慧可，俗姓姬氏，虎牢[1]人。外览坟素[2]，内通藏典。末怀道京辇，默观时尚[3]。独蕴大照，解悟绝群，虽成道非新，而物贵师受，一时令望，咸共非之。但权道无谋，显会非远[4]，自结斯要，谁能系之？年登四十，遇天竺沙门菩提达摩，游化嵩洛，可怀宝知道[5]，一见悦之，奉以为师，毕命承旨。从学六载，精究一乘[6]。理事兼融，苦乐无滞。而解非方便，慧出神心。可乃就境陶研，净秽埏埴[7]，方知力用坚固，不为缘陵[8]。达摩灭化洛滨[9]，可亦埋形河涘[10]，而昔怀嘉誉，传檄邦畿[11]。使夫道俗来仪，请从师范。可乃奋其奇辩，呈其心要，故得言满天下，意非建立[12]，玄籍遐览[13]，未始经心。

后以天平[14]之初，北就新邺[15]，盛开秘苑。滞文之徒[16]，是非纷举。时有道恒禅师，先有定学，王宗邺下，徒侣千计，承可说法，情事无寄，谓是魔语，乃遣众中通明者，来砭可门。既至闻法，泰然心服，悲感盈怀，无心返告。恒又重唤，亦不闻命。相从多使，皆无返者。他日遇恒，恒曰："我用尔许功夫开汝眼目，何因致此？"诸使答曰："眼本自正，因师故邪耳。"恒遂深恨，谤恼于可。货赇俗府[17]，非理屠害。初无一恨，几其至死，恒众[18]庆快。遂使了本者绝学浮华，谤黩者操刀自拟，始悟一音[19]所演，欣怖交怀，海迹蹄滢[20]，浅深斯在。可乃从容顺俗，时惠清猷，乍托吟谣，或因情事，澄汰恒抱，写割烦芜。故正道远而难希，封滞近而易结，斯有由矣。遂流离邺卫，亟展寒温。道竟幽而且玄，故末绪卒无荣嗣[21]。

有向居士者，幽遁林野木食[22]，于天保[23]之初，道味相师[24]，致书通好曰："影由形起，响逐声来。弄影劳形，不知形之是影；扬声止响，不识声是响根。除烦恼而求涅槃者，喻去形而觅影；离众生而求佛，喻默声而寻响。故迷悟一途，愚智非别。无名作名，因其名则是非生矣；无理作理，因其理则诤论起矣[25]。幻化非真，谁是谁非？虚妄无实，何空何有？将知得无所得，失无所失。未及造谈，聊伸此意，想为答之。"可命笔[26]述意曰："说此真法皆如实，与真幽理竟不殊。本迷摩尼[27]谓瓦砾，豁然自觉是真珠。无明智慧等无异，当知万法即皆如。愍此二见之徒辈，申词措笔作斯书。观身与佛不差别，何须更觅彼无余。"其发言入理，未加铅墨，时或缵[28]之，乃成部类，具如别卷。

时复有化公、彦公和禅师等，各通冠玄奥，吐言清迥，托事寄怀，闻诸口实，而人世非远，碑记罕闻。微言不传，清德谁序，深可痛矣。时有林法师，在邺盛讲《胜鬘》[29]并制文义，每讲人聚，乃选通三部经[30]者，得七百人，预在其席。及周灭法[31]，与可同学，共护经像。

初，达摩禅师以四卷《楞伽》授可曰："我观汉地，惟有此经。仁者依行，自得度世。"可专附玄理，如前所陈，遭贼斫臂，以法御心，不觉痛苦。火烧斫处，血断帛裹，乞食如故，曾不告人。后林又被贼斫其臂，叫号通夕。可为治裹，乞食供林。林怪可手不便，怒之。可曰："饼食在前，何不自裹？"林曰："我无臂也，可不知耶？"可曰："我亦无臂，复何可怒？"因相委问，方知

274

有功,故世云无臂林矣。每可说法竟,曰:"此经四世之后,变成名相[32],一何可悲!"(《续高僧传》卷十六)

【注释】

[1]虎牢:又作武牢,位于今河南荥阳西北。

[2]坟素:泛指古代典籍。

[3]末怀道京辇,默观时尚:此句原文作"末怀其道",据郭绍林《续高僧传》点校本改。京辇,国都。怀道,胸怀治道之念。

[4]权道无谋,显会非远:权道指世俗之道。显会,对佛法的解悟。两句相对,谓:虽说世俗之道无谋,但对佛法的解悟并非在远处,即在世俗之中。

[5]怀宝知道:心怀正法,明了正道。

[6]一乘:引导、教化众生成佛的唯一方法或途径。

[7]埏(shān)埴:本意是和泥制作陶器,有陶冶、培育的意思。

[8]不为缘陵:陵,扰乱。指般若功力甚深,不受外界各种缘的影响。

[9]洛滨:洛水之滨,泛指嵩洛一带。

[10]埋形河涘:在洛阳、相州一带隐姓埋名。

[11]传檄邦畿:在国都一带传布檄文。

[12]意非建立:本意不在于有所建树。

[13]玄籍遐览:广泛地阅览佛教经书。

[14]天平:东魏孝静帝元善见的年号,时间为 534 年10月至 537 年。

[15]新邺:即上文提到的相州的首府,在现在的河南安阳一带。古邺城于 580 年被毁弃,安阳改名为邺,从此有新邺之

275

称,安阳城代替邺城成为这一地区的政治、经济和文化中心,成为新邺城。

[16]滞文之徒:指局限于文辞,不知变通的人。

[17]货赇(qiú)俗府:贿赂官府。

[18]恒众:道恒禅师及其门下人。

[19]一音:指佛之音声。佛以一音演说法,而众生缘有深浅,根有利钝,故于一音之中同听异闻。

[20]海迹蹄滢:在水中行走不会留下痕迹,这里指慧可隐埋其形迹。

[21]道竟幽而且玄,故末绪卒无荣嗣:佛法幽深玄远,所以前人遗留的功业无人继承。

[22]遁林野木食:藏身于深林野外,以野果充饥。

[23]天保:北齐文宣帝高洋年号,时间为从550年五月至559年十二月。

[24]道味相师:在佛教教理方面相互学习。

[25]无名作名,因其名则是非生矣;无理作理,因其理则诤论起矣:本是无名之物,如果加上名称,就会因此而出现是非;本无常理之事,如果强加上道理,就会因此而出现争论。

[26]命笔:执笔写作。

[27]摩尼:又作"末尼",宝珠。

[28]缵(zuǎn):通"纂",集合,编写。

[29]《胜鬘》:《胜鬘经》,全一卷,南朝刘宋求那跋陀罗译。全称《胜鬘师子吼一乘大方便方广经》,又作《师子吼经》等。此经叙述胜鬘夫人对佛陀立十大誓愿、三大愿,并自说大乘一乘法门,阐释圣谛、法身、如来藏等。

[30]三部经:略称"三经"。为各宗自经典中特别选出三部与其宗义同性质的经典。

[31]及周灭法:北周建德三年(574)五月,周武帝宇文邕下令灭佛,措施包括销毁佛经、佛像,令僧侣还俗,以及没收寺院财产及土地房屋等。经过这次事件,北方佛教势力几乎禁绝。

[32]名相:名,事物的名称;相,事物的相状。名能诠显事物相状,故称名相。一切事物,皆有名有相,但名与相并非法之实性,只是为方便教化而设。

《宋高僧传》[1]

[宋]赞宁[2]

唐五台山竹林寺[3]法照[4]传

释法照，不知何许人也。大历二年[5]，栖止衡州[6]云峰寺，勤修不懈。于僧堂内粥钵中，忽睹五彩祥云，云内现山寺。寺之东北五十里已来有山，山下有涧，涧北有石门，入可五里有寺，金榜题云"大圣竹林寺"。虽目击分明，而心怀陨获[7]。

他日斋时，还于钵中五色云内现其五台诸寺，尽是金地，无有山林秽恶。纯是池台楼观，众宝庄严，文殊一万圣众而处其中，又现诸佛净国。食毕方灭，心疑未决。归院问僧，还有曾游五台山已否？时有嘉延、昙晖二师言曾到，言与钵内所见一皆符合，然尚未得台山消息。

暨[8]四年夏，于衡州湖东寺内有高楼台，九旬[9]起五会念佛[10]道场。六月二日未时，遥见祥云弥覆台寺，云中有诸楼阁，阁中有数梵僧，各长丈许，执锡行道。衡州举郭[11]咸见弥陀佛与文殊、普贤一万菩萨俱在此会，其身高大。见之者皆深泣血设礼，至酉方灭。照其日晚于道场外遇一老人，告照云："师先发愿往金色世界[12]，奉觐大圣，今何不去？"照怪而答曰："时难路艰，何可往也？"老人言："但亟去，道路固无留难。"言讫不见。照惊入道场，重发诚愿："夏满约往前。任是火聚冰河，终无退岨[13]。"至八月十三日,于南岳与同志数人惠然肯来[14],果无沮碍。则五年四月五日到五台县,遥见佛光寺南数道白光。六日到佛光寺,果如钵中所见,略无差脱[15]。其夜四更,见一道光从北山下来射照,照忙入堂内,乃问众云:"此何祥[16]也?吉凶焉在?"有僧答言:"此大圣不思议光,常答有缘。"照闻已,即具威仪[17],寻光至寺东北五十里间果有山。山下有洞,洞北有一石门,见二青衣,可年八九岁,颜貌端正立于门首。一称善财[18],二曰难陀。相见欢喜,问讯设礼,引照入门,向北行五里已来,见一金门楼。渐至门所,乃是一寺。寺前有大金榜,题曰"大圣竹林寺",一如钵中所见者。方圆可二十里,一百二十院,皆有宝塔庄严,其地纯是黄金,流渠华树,充满其中。

照入寺,至讲堂中,见文殊在西,普贤在东,各据师子之座,说法之音,历历可听。文殊左右菩萨万余,普贤亦无数菩萨围绕。照至二贤前,作礼问言:"末代凡夫,去圣时遥,知识转劣,垢障尤深。佛性无由显现,佛法浩瀚,未审修行于何法门,最为其要?唯愿大圣断我疑网!"文殊报言:"汝今念佛,今正是时。诸修行门,无过念佛,供养三宝,福慧双修,此之二门,最为径要。所以者何?我于过去劫中因观佛故,因念佛故,因供养故,今得一切种智。是故一切诸法般若波罗蜜甚深禅定,乃至诸佛,皆从念佛而生。故知念佛,诸法之王,汝当常念无上法王,令无休息。"照又问:"当云何念?"文殊言:"此世界西有阿弥陀佛,彼佛愿力不可思议,汝当继念,令无间断。命终之后,决定往生,永不退转。"说是语已,时二大圣各舒金手,摩照顶为授记[19]别:"汝已念佛,故不久证无上正等菩提[20]。若善男女等愿疾成佛者,无过念佛,则能速证无上菩提。"语已时二大圣互说伽陀[21]。照闻已欢喜踊跃，疑网悉除。又更作礼，礼已合掌。文殊言："汝可往诣诸菩萨院，次第巡礼。"授教已，次第瞻礼，遂至七宝果园，其果才熟，其大如碗，便取食之。食已，身意泰然，造大圣前，作礼辞退。还见二青衣，送至门外。礼已举头，遂失所在，倍增悲感，乃立石记，至今存焉。

复至四月八日，于华严寺西楼下安止。泊[22]十三日，照与五十余僧同往金刚窟，到无著见大圣处，处心礼三十五佛名。照礼才十遍，忽见其处广博严净，琉璃宫殿，文殊、普贤一万菩萨及佛陀波利居在一处。照见已，惟自庆喜，随众归寺。其夜三更，于华严院西楼上忽见寺东山半有五圣灯，其大方尺余。照咒言"请分百灯归一畔"，便分如愿。重谓"分为千炬"，言讫便分千数，行行相对，遍于山半。又更独诣金刚窟所，愿见大圣，三更尽到，见梵僧称是佛陀波利，引之入圣寺，语在觉救传。

至十二月初，遂于华严寺华严院入念佛道场，绝粒要期，誓生净土。至于七日初夜，正念佛时，又见一梵僧入乎道场，告云："汝所见台山境界，何故不说？"言讫不见。照疑此僧，亦拟不说。翌日申时，正念诵次，又见一梵僧年可八十，乃言照曰："师所见台山灵异，胡不流布？普示众生，令使见闻，发菩提心，获大利乐乎？"照曰："实无心秘蔽圣道，恐生疑谤，故所以不说。"僧云："大圣文殊见在此山，尚招人谤，况汝所见境界，但使众生见闻之者，发菩提心，作毒鼓缘[23]耳。"照闻斯语，便随忆念录之。时江东释慧从以大历六年正月内与华严寺崇晖、明谦等三十余人随照至金刚窟所，亲示般若院，立石标记。于时徒众诚心瞻仰，悲喜未已，遂闻钟声，其音雅亮，节解分明。众皆闻之，惊异尤甚，验乎所见不虚，故书于屋壁，普使见闻，同发胜心,共期佛慧。自后照又依所见化竹林寺题额处,建寺一区,庄严精丽,便号竹林焉。

又大历十二年九月十三日,照与弟子八人于东台睹白光数四,次有异云叆叇[24]。云开,见五色通身光,光内有圆光红色,文殊乘青毛师子,众皆明见,乃霏微下雪及五色圆光遍于山谷。其同见弟子,纯一、惟秀、归政智远、沙弥惟英、优婆塞张希俊等。照后笃巩其心[25],修炼无旷[26],不知其终。绛州兵掾王士詹[27]《述圣寺记》云。(《宋高僧传》卷二十一)

【注释】

[1]《宋高僧传》:又称《大宋高僧传》,三十卷,宋代赞宁(919~1001)著。本书的记载上接唐代道宣《续高僧传》,下迄宋朝雍熙年间,正传五百三十三人,附见一百三十人。是书在内容的安排上继承了慧皎《高僧传》十科分类的体制,是了解唐宋时期佛教的重要文献。

[2]赞宁(919~1001):俗姓高,吴兴德清(今属浙江)人。早年在杭州祥符寺出家,后于天台山受具足戒。先学四分律,精研三藏。后习南山律,旁通儒、道。赞宁学识广博,辞辩纵横,人称"律虎"。宋朝太平兴国年间奉诏旨编修《大宋僧史略》三卷,后编撰《大宋高僧传》。著作还有《四分律行事钞音义指归》三卷(已佚)、《舍利宝塔传》一卷、《护塔灵鳗菩萨传》一卷等。

[3]五台山竹林寺:竹林寺位于山西五台山九龙岗之西,中央台南麓竹林村附近,始建于唐代宗年间。

[4]法照:唐代僧人,生卒年不详。为净土宗第四代祖,是"五会念佛"的创始人,因此也称五会法师。

[5]大历二年:大历(766~799)为唐代宗李豫年号,大历二年指公元767年。

[6]衡州:衡阳的古称。

[7]陨(yǔn)获:本指处于困苦境地而灰心丧志,此处引申为疑问、怀疑。

[8]暨:到,至。

[9]九旬:指"一夏九旬",是佛教僧侣结夏安居的日期,又称"一夏",即每年四月十六日至七月十五日。

[10]五会念佛:法照依《无量寿经》中"清风时发,出五音声。微妙宫商,自然相和"之文所创的念佛法门。此仪式须嗓音佳美的僧俗多人依五种高低缓急之音调而念佛,第一会平声缓念,第二会为平上声,亦缓念,第三会非缓非急念,第四会渐急念,第五会阿弥陀佛四字转为急念。五会念佛具有除五苦、断五盖、截五趣、净五眼、具五根、成五力、得菩提、具五解脱、能速疾成就五分法身等利益。

[11]举郭:全城。

[12]金色世界:文殊师利菩萨所居住的净土名。

[13]退衄(nǜ):退缩。衄,畏缩之意。

[14]惠然肯来:惠是敬辞,赐的意思。惠然肯来本是用以欢迎客人来临的客气话,此处有欣然而往之意。

[15]差脱:差异、出入。

[16]祥:吉凶的预兆。

[17]威仪:威仪是指僧人行、住、坐、卧四个方面的行为规范。

[18]善财:《华严经·入法界品》中的求道菩萨,曾南行参访五十五位善知识,遇普贤菩萨而成就佛道。

[19]授记:本指分析教说,或以问答方式解说教理;后专指弟子所证或死后之生处;后专指未来世证果及成佛名号之预言,所以也称"预记"。

[20]无上正等菩提:即无上正等正觉,音译"阿耨多罗三藐三菩提",是佛陀所觉悟之智慧,含有平等、圆满之意。大乘菩萨行的全部内容就是成就这种觉悟。

[21]伽陀:梵语 gatha,又作"偈",为九部教之一,十二部经之一。意译讽诵、讽颂、偈颂等。广义指歌谣、圣歌,狭义则指在教说的段落或经文的末尾,以句联结而成的韵文,内容不一定与前后文有关。

[22]洎(jì):到,及。

[23]作毒鼓缘:"毒鼓"一词出自《大般涅槃经》卷九:"譬如有人以杂毒药用涂大鼓,于众人中击,令发声,虽无心欲闻,闻之皆死。"意思类似于俗语所谓"忠言逆耳"。"作毒鼓缘"即像"毒鼓"发出声音那样宣扬佛法,令大众对佛法产生信解。

[24]曖(ài)靆(dài):浓云遮日。

[25]笃巩其心:使信仰之心更加坚定。笃,忠实之意。巩,使坚固。

[26]无旷:不懈怠。

[27]绛州兵掾王士詹:绛州是唐代地名,位于山西西南部。兵掾是唐代州级军事官职,即"司兵参军事"一职。王士詹,生卒年不详,其《五台山设万僧供记》收录于全唐文卷六。

《慈悲道场水忏序》[1]（节选）

[宋]佚名

昔唐懿宗[2]朝有悟达国师知玄[3]者，未显时，尝与一僧邂逅于京师[4]，忘其所寓之地。其僧乃患迦摩罗疾[5]，众皆恶之。而知玄与之为邻，时时顾问，略无厌色。因分袂[6]，其僧感其风义，祝之曰："子向后有难，可往西蜀彭州茶陇山[7]相寻，其山有二松为志。"

后悟达国师居安国寺，道德昭著，懿宗亲临法席，赐沈香为法座，恩渥[8]甚厚。自尔，忽生人面疮于膝上，眉目口齿俱备。每以饮食餧[9]之，则开口吞啖，与人无异。遍召名医，皆拱手[10]默默。因记昔日同住僧之语，竟入山相寻。

值天色已晚，彷徨四顾，乃见二松于烟云间，信期约之不诬。即趋其所，崇楼广殿，金碧交辉。其僧立于门首，顾接甚欢，因留宿。遂以所苦告之，彼云无伤也。岩下有泉，明旦濯之即愈。黎明童子引至泉所，方掬水间，其人面疮遂大呼："未可洗！公识达深远，考究古今，曾读《西汉书》[11]袁盎[12]晁错[13]传否？"曰："曾读。""既曾读之，宁不知袁盎杀晁错乎？公即袁盎，吾即晁错也。错腰斩[14]东市，其冤为何如哉。累世求报于公，而公十世为高僧，戒律精严，报不得其便。今汝受人主宠遇过奢，名利心起，于德有损，故能害之。今蒙迦诺迦尊者洗我以三昧法水，自此以往不复与汝为冤矣。"

悟达闻之，凛然魂不住体，连忙掬水洗之。其痛彻髓，绝而复苏,觉来其疮不见。乃知圣贤混迹[15],非凡情所测。再欲瞻敬回顾,寺宇不可复见。

【注释】

[1]《慈悲道场水忏序》:《慈悲道场水忏》又作《慈悲三昧水忏》,唐代悟达国师知玄述作,共三卷,现收录于《大正新修大藏经》第四十五册。"慈悲"意为予乐拔苦;"三昧"本意为"止息杂念","三昧水"则是由迦诺迦尊者的三昧力加持而成的三昧法水,可涤清业障;"忏"指忏悔。《慈悲三昧水忏》卷前有宋代人作的《御制水忏序》和《慈悲道场水忏序》,作者皆不详。

[2]唐懿宗:唐代倒数第四个皇帝李漼,在位时间为公元859年至873年。

[3]悟达国师知玄:知玄(811~883),字后觉,俗姓陈,眉州洪雅(今四川洪雅)人,唐代高僧。知玄十一岁出家,研习《涅盘经》。年稍长,学唯识与经籍百家之说。唐宣宗时,奉召于大内讲经,获赐紫袈裟,被署为三教首座。僖宗幸蜀时,赐号"悟达国师"。曾与李商隐等士人交游。有《慈悲水忏法》《胜鬘经疏》《般若心经疏》《金刚经疏》等著作。

[4]京师:唐代京师为长安,即现在的陕西西安一带。

[5]迦摩罗疾:梵语 kamala,又作伽末罗病,黄疸病的一种。患此病者眼根损坏,见一切色皆如黄色,颇难治愈。《玄应音义》卷二十三谓此为恶垢,言腹中有恶垢,表不可治之义。

[6]分袂:离别,分手。

[7]茶陇山:亦称九陇山,在今四川彭县。

[8]恩渥(wò):帝王给予的恩泽。

[9]餧:同"喂"。

[10]拱手:束手,谓无能为力。

[11]西汉书:指司马迁的《史记》。

[12]袁盎:(前200～前150),楚地人,是西汉时期的一位有浓厚儒家思想的文臣。景帝时期发生吴楚七国叛乱,袁盎奏请斩晁错以平众怒。晚年因反对立梁王刘武为储君而遭梁王忌恨,死于刺客之手。

[13]晁错:(前200～前154),颖川(今河南禹县)人,西汉时期的政治家、文学家。晁错在经济上主张重农抑商;军事上实行"移民实边",抵御匈奴;政治上主张削藩,巩固中央集权。削藩的举措损害了诸侯利益,以吴王刘濞为首的七国诸侯以"诛晁错,清君侧"为名举兵反叛,景帝听从袁盎之计腰斩晁错。

[14]腰斩:用重斧从腰部将犯人砍作两截。

[15]混迹:使行踪混杂在大众之间,隐身不露。